MURIEL TEYSSIER

Des dauphins et des hommes

AMRITA

CHEZ LE MEME EDITEUR

ASTROLOGIE, voie de sagesse
de Goswami Kriyananda

LES PIERRES, traditions initiatiques d'hier et d'aujourd'hui
de Arati Brandy

MEDITATIONS ET BENEDICTIONS ESSENIENNES
de Danaan Parry

PAROLES BLANCHES DE MERE TERESA

CELUI QUI VIENT
de Anne et Daniel Meurois-Givaudan

OSER VIVRE EN COUPLE
de Henry James Borys

LE TAO DE LA GUERISON
de Haven Treviño

APPRIVOISER LE PARDON
de Meena Deva Goll

LE PEUPLE DES HOMMES
de Domenico Buffarini

Photographie de couverture de ZEFA - Pacific Stock.
Maquette de couverture réalisée par Claude Godefroy.

Le catalogue des Editions AMRITA est adressé franco sur simple demande

Editions AMRITA
24 580 - Plazac - France

Tél. : 53 50.79.54 - Fax : 53 50.80.20

Sommaire

"Efforce-toi de faire ce que nul, hormis toi, ne peut faire
Efforce-toi de désirer ce que chacun, comme toi, peut avoir
Distingue-toi par ce que tu es, non par ce que tu as."

(Lanza Del Vasto, Principes et Préceptes du retour à l'évidence)

aux Dauphins qui m'ont guidée
vers l'Essentiel...

INTRODUCTION

Chaque coup de palme donné à leur côté est un pas de plus accompli au service de l'éveil de l'humanité. Il nous ramène à l'acceptation de notre vraie place dans l'univers. Il propulse notre ego dans une dimension à hauteur de ses ambitions mais que seule la pureté du cœur peut atteindre.

Les dauphins nous apprennent à Aimer

Ils nous enseignent l'humilité, la dignité, la compassion, la fraternité, l'harmonie avec la Nature et le respect du temps qui passe. Ils nous apprennent la Vie. A travers leur regard presque trop humain ils nous rappellent cette vérité qui encore trop souvent dérange : l'homme est indissociable de la Nature. Il n'est qu'un maillon, pourtant précieux par ses différences. Rien ne lui est dû. Rien ne lui est inférieur ou supérieur. Seule la responsabilité de son destin, de ses actes, de ses pensées et de ses sentiments lui appartient.

L'homme se doit d'atteindre une maîtrise totale de lui-même. Il n'est pour l'instant qu'une ébauche de ce que la Vie l'appelle à devenir. Son côté animal fonctionne encore dans la négativité. Il reproduit sa souffrance sur l'animal et oblige celui-ci à la vivre à sa place. Peur, angoisse et doutes lui reviennent exacerbés. Nous oublions trop souvent, voire toujours, qu'aucun acte ni pensée ne s'évanouit dans le passé sans conséquences pour le présent et le futur.

Les dauphins-clowns et soldats témoignent que les vibrations d'amour et de joie ne sont plus assez diffusées sur notre planète, que notre vie intérieure se meurt de n'être pas assez nourrie. Leur souffrance est un sacrifice au nom de la sagesse et de la connaissance que nous devons atteindre. Une leçon de tolérance et de paix pour l'homme moderne qui s'est perdu en chemin.

La Nature est généreuse pour celui qui sait la respecter et l'apprivoiser. Elle est impitoyable pour celui qui la fait saigner. Sans elle l'homme n'aurait aucune raison de vivre. Chaque étincelle de vie exprime à sa façon la multiplicité de la Vie et renferme une énergie sacrée commune à tous. Le pouvoir trouve sa réalité dans la complémentarité et la complicité, non dans la possession synonyme de destruction. Il est fondé sur la capacité à définir l'essence des choses, à les observer et à les comprendre.

Par son comportement le dauphin est riche d'enseignements pour qui sait prendre le temps de le respecter et de l'écouter. Nous nous devons aujourd'hui de le découvrir à ses conditions et non plus aux nôtres.

CHAPITRE PREMIER

Rencontre

"Une, deux, trois bulles précipitées tour à tour à la surface de l'eau bleue, empressées de s'y éclater pour libérer en urgence le flot d'Amour et d'ivresse de Vie que nos deux âmes y avaient mis.

Face à ton sourire je flottais hors du temps, retrouvant l'Enfance... Je laissais ton insouciance envahir mes pensées. Le vide, distillé en moi par notre Terre en émoi, cédait sa place à l'Amour dans ta Bulle soufflée tout autour de moi. Des soubresauts de mon cœur, ivre de vibrations aquatiques, naissaient de petites vagues semblables à celles que ta peau sensuellement douce dessine chaque fois que tu t'élances défier la Vie.

Par l'indulgence de ta patience, je réapprenais à marcher sur un chemin dont tu prenais soin de remplacer chaque pierre par de l'Amour. L'humilité, vainqueur de mon orgueil, vibrait au rythme de tes sifflements incessants.

Ta mémoire redevenait mienne.

Le jeu pouvait commencer..."

Elle est là.

Mes pensées et mes désirs s'évanouissent, me laissant seule vivre le Grand Moment. La seule vue de sa nageoire dorsale suffit déjà à mon bonheur.

Dolphy n'était pas au rendez-vous à mon arrivée. Durant les quelques heures passées à l'attendre j'ai observé la folie humaine qui sévit autour de sa présence et deviné qu'un tête à tête avec elle relèverait du miracle. J'ai choisi de lâcher prise et de m'en remettre au destin.

Dolphy affectionne particulièrement les chaînes d'ancrage et, comme tous les dauphins, les étraves de bateaux où elle peut surfer à loisir. Je m'attends à la voir surgir à l'avant du bateau de promenade qui rentre au port. Elle apparaît à l'autre bout de la baie, là où personne ne l'attend. Dolphy sera un des dauphins les plus espiègles qu'il me sera donné de rencontrer.

L'eau est déjà froide en ce début d'automne, aussi je choisis, pour ce premier contact, la solution du canoë. Le temps qu'il me faut pour la rejoindre me paraît à la fois trop long et délicieux, m'obligeant à savourer l'intensité du moment présent. La surface de l'eau est limpide et Dolphy semble être redevenue sirène. Je m'arrête et attends. Pas très longtemps. Son souffle retentit derrière mon dos. Deux secondes plus tard elle surgit à l'avant du canoë. La ronde qu'elle entreprend alors autour de moi pendant de longues minutes me projette hors du décor et du temps.

Je ne suis bientôt plus seule à admirer sa souveraineté dans l'eau. Elle distille alors à tous sa joie de vivre, invitant chacun à la suivre. Personne n'est oublié ni préféré. Je me surprends à me jeter à l'eau. Suis-je digne qu'elle vienne à moi ?

Je n'ai que le temps de me poser la question ! Une peur incontrôlée m'envahit. L'eau trouble et la masse impressionnante de Dolphy ont raison de ma témérité, et me revoilà illico presto à bord de mon embarcation de fortune. Je suis sur son territoire, non le mien.

Elle pointe son rostre au bout de mes pieds. Son sourire et son regard plein de bonté ont tôt fait de me rassurer. Ivre de vie elle s'élance alors à la conquête des airs. Saut après saut, dressée devant moi à crever le ciel, elle fait basculer ma vie à ce moment précis.

Je n'ai qu'un mot à lui dire : MERCI.

Dolphy rejoint ensuite un catamaran arrivé un peu plus tôt dans la baie, et entame un va-et-vient le long de la chaîne d'ancrage. Ses occupants m'invitent à les rejoindre. Je fais glisser ma bague le long des maillons, répondant à ses sifflements incessants. A chaque remontée vers la surface, à quelques coups de nageoire de mes mains, Dolphy me nargue de son ventre blanc…

Des aboiements intempestifs se font entendre du ponton. La dauphine s'empresse de rejoindre un de ses fidèles compagnons de jeu à quatre pattes. Le perturbateur de mon délire delphinien se jette tous poils hérissés dans le bain glacé. Les deux complices s'offrent une ballade aquatique qui laisse rêveur et fait plus d'un envieux…

***

Le soleil et la mer boudent de concert. Je repars ce soir vers le brouillard. Assise sur les galets de la plage désertée, je savoure le silence qui m'entoure et la paix que je ressens au plus profond de moi. Je voudrais pouvoir encore dire merci à celle qui m'a éveillée à ma réalité et à une nouvelle forme de liberté.

Dolphy surgit à quelques mètres de moi.

Sa confiance m'a fait gagner en assurance. Equipée de ma combinaison de plongée, je me laisse glisser dans l'eau. Nous sommes seules au beau milieu de la baie, soudées dans le respect et la tolérance de nos différences. La sagesse et la sérénité qui émanent de Dolphy me guident sur un nouveau chemin, faisant naître en moi une nécessité jusqu'alors inconnue : aller à l'Essentiel.

Ses sifflements accompagnés de bulles qui ponctuent chacune de mes caresses me bouleversent autant qu'ils m'enivrent. Petite. Je me sens soudain petite. Mais si incroyablement vivante !

CHAPITRE 2

Amitié sacrifiée

"Le dauphin est le seul de tous les animaux à porter autant d'amitié à l'homme, celle que recherchent et désirent tous les plus grands philosophes, et cela par instinct naturel, sans en tirer profit ; car il n'a aucunement besoin de l'homme, et néanmoins, il est amical et bienveillant envers tous, et, en cas de besoin, en a secouru plusieurs."

(Plutarque, Trois traités pour les animaux)

Consciente de l'illusion qui pouvait naître de mon ego lors de ma rencontre avec Dolphy, je me préparai quelques jours à l'avance à la rencontrer. Comme tous ceux de ma génération, je n'avais pas échappé au raz de marée provoqué par "*Le Grand Bleu*" de Luc Besson.

Mais de savoir son "héroïne" Joséphine toujours prisonnière du Marineland d'Antibes, me rendait amer le succès de ce film consacrant davantage la plongée que les dauphins eux-mêmes. Les retombées du film allaient être catastrophiques autant sur un plan humain que dauphin. La jeunesse en déroute saisit au vol cette bouée de secours lancée à son manque d'amour, provoquant un phénomène de société que l'auteur n'avait sûrement pas prévu.

Plongeant tête baissée dans la démesure, elle s'emprisonnait dans une bulle où la plus infime goutte de réalité n'avait plus sa place. "Flipper" devint psychiatre et gourou, celui qui guérit de tous les maux, décrété à l'entière disposition du désir de l'homme. Mais qui, en échange, était prêt à l'écouter, lui qui n'avait rien demandé ? Personne...

Va et dévêts-toi de toi-même.

L'homme est bien le seul être vivant à ne pas se donner les moyens de jouir de l'instant. Il ne peut s'empêcher d'anticiper en permanence sur un futur qui ne sera jamais ce qu'il croit, à partir d'éléments qui ne seront jamais définitivement acquis. Son mental s'est créé une sécurité : l'illusion. Il s'y complaît et s'y rassure tant sa peur de vivre est grande. Elle n'apporte pourtant que distorsion et incertitude ! Elle occulte notre vérité intérieure et nous empêche d'accéder à cette liberté d'être que nous convoitons tant à l'animal. A se définir supérieur à tous, quand il n'est que différent, l'être humain s'est projeté en dehors de la Vie. Minéral, végétal et animal, tout est nourri de la même lumière divine et de la même connaissance. Mais celles-ci s'expriment d'autant de façons différentes qu'il existe de formes de vie. Beaucoup ont été éveillés à cette vérité avant moi et de plus en plus le seront après. Elle apporte beaucoup de joie, mais elle fait aussi réaliser que l'homme n'a fait qu'un tout petit bout de chemin et qu'il lui reste encore beaucoup de choses à apprendre.

J'ai souvent observé que les personnes consacrant leur énergie à défendre la cause animale sont celles qui se permettent le moins d'interactions sur le terrain, bien qu'elles en aient souvent l'opportunité. J'allais pour ma part vivre ma rencontre avec Dolphy comme un cadeau. Aussi je prenais soin de me vider de ce que mon ego renfermait pour m'aveugler. Cette étape me semblait indispensable dès l'instant que c'était moi qui choisissais de pénétrer son territoire. Je voulais la découvrir avec un regard d'enfant dénué de préjugés pour ne pas risquer de tout gâcher. La rareté des rencontres fonde toute leur qualité. Je ne voulais pas tomber dans l'envie de les répéter jusqu'à plus soif pour mon propre plaisir.

Dolphy n'était pas là pour moi. Dans sa position de dauphin isolé du reste de ses semblables, je partais du principe que c'était moi qui étais là pour elle et non l'inverse. Je me devais de la respecter.

***

L'amitié de l'homme et du dauphin date de la nuit des temps. Malheureusement, elle s'est très vite détériorée au fil des siècles en raison de notre cupidité. La soif de pouvoir de l'humanité n'en est pas à son dernier faux pas !

Les cétacés se sont longtemps vu attribuer une dimension mythique, voire divine, en raison de la fascination qu'ils exercent. Le dauphin est sujet d'une attention toute particulière dans les récits de l'Antiquité, et aujourd'hui encore. Sa curiosité ancestrale à notre égard intrigue tout autant qu'elle fascine.

Vénéré par les grecs, il faudra attendre le vingtième siècle pour que l'Occident renoue avec la joie de vivre de ce mammifère marin.

Pour des raisons scientifiques, pédagogiques et avant tout commerciales, l'amitié sacrifiée est remise au goût du jour.

Exhibé de force dans de minuscules bassins en béton, décimé en mer par les filets dérivants et la pollution, le dauphin paye un lourd tribut à l'humanité qu'il fait tant rêver.

L'incapacité de la science à percer son mystère, si tant est qu'il en ait un, contribue à entretenir la sympathie égoïste que le monde lui voue. Avec son regard quasi humain qui souvent dérange tant il transperce, le dauphin est rapidement devenu l'objet de tous les fantasmes. Au quotidien, il inspire des sentiments humains qui ne sont que de pures manifestations d'anthropomorphisme. Nous lui prêtons des émotions semblables aux nôtres. Dans l'impitoyable société de consommation, la réalité de son être n'a pas de place.

L'admiration des Crétois pour les dauphins et les orques s'illustre sur leurs monuments, œuvres d'art, pièces de monnaie etc... Les grecs voyaient dans ces mammifères marins l'incarnation de divinités. Aussi, tout acte de malveillance à leur égard était-il passible de sanctions pouvant aller jusqu'à la peine de mort.

Omniprésents dans la mythologie, ils incarnent la bienveillance et reflètent l'élévation spirituelle.

Pline Le Jeune se plaît à relater l'histoire de ce petit garçon de Naples ami d'un dauphin, au point que celui-ci l'emmenait et le ramenait quotidiennement de l'école sur son dos pour lui épargner un chemin à pied trop fatiguant. Un jour l'enfant mourut et le dauphin succomba à son chagrin.

Télémaque, fils d'Ulysse, tomba dans la mer alors qu'il était encore très jeune et fut sauvé de la noyade par des dauphins. Par reconnaissance, Ulysse fit graver l'image d'un dauphin sur son sceau et le porta comme ornement à son écu.

Poséidon n'aurait pu séduire et épouser la mortelle Amphitrite, que grâce aux dauphins qui auraient convaincu la jeune fille de la beauté et de la pureté de son amour...

Mais Le dauphin va rapidement perdre son prestige ! Alors qu'il était considéré comme un guide par les pêcheurs de l'antiquité, il est par la suite considéré par la profession comme un concurrent.

L'homme déloyal trouve là un bouc émissaire pour porter le poids de ses propres incompétences et de son irresponsabilité à détruire l'écosystème marin. Il n'hésite plus à le chasser et à le massacrer en toute impunité. Au début de ce siècle, le port de Collioure demandait deux torpilleurs à la Royale pour éliminer les dauphins qu'il jugeait trop nombreux. Ces dernières années, la petite ville balnéaire fut particulièrement fière d'accueillir Dolphy dans sa baie et prit même un arrêté municipal pour la protéger !

***

En 1860, des dauphins suivis de bélugas sont exposés à l'aquarium Westminster de Londres. En 1914, Barnum, une des plus grandes figures du monde du cirque, livre cinq bélugas à la curiosité du public au Museum de New York. Placés dans un bassin de trente-huit mètres de diamètre et profond de sept mètres, ils meurent tous en l'espace de vingt et un mois.

En 1938 le premier delphinarium est créé en Floride pour raison éducative par les "*Marine Studios of Marineland*", compagnie cinématographique de Hollywood. Spray est le premier bébé à naître le 26 février 1947 et à survivre malgré les agressions qu'elle subit de la part du mâle dominant. Le public suit en masse et les delphinariums poussent alors comme des champignons à travers le monde. L'essor de cette nouvelle activité lucrative représente une opportunité sans égal pour la science. Elle se jette à corps perdu dans des recherches infructueuses qui vaudront la mort de milliers de dauphins. Malgré leur faculté d'apprentissage hors du commun, les dauphins captifs n'ont d'autre choix que de réfréner leur instinct naturel. Le comportement conditionné qu'ils adoptent n'a plus rien de naturel ni de spontané. Bien que les données obtenues manquent de fiabilité et soient souvent contradictoires, les scientifiques continuent de s'acharner...

Les médias veulent aussi leur part de gâteau. Le feuilleton "Flipper" fascine des millions de bambins et son succès engendre un véritable boom de la captivité. Le dauphin est présenté comme le compagnon de jeu idéal : intelligent, prévenant, drôle et entièrement dévoué au bonheur de l'homme. Le sourire de Flipper cache une réalité beaucoup moins rose : cinq jeunes femelles *tursiops* se succèdent au fil des tournages, succombant les unes après les autres aux conditions draconiennes de tournage. Kathy, la dernière dauphine utilisée, décède d'un arrêt cardiaque après une longue dépression, dans les bras de son dresseur Ric O'Barry.

A dater de ce jour cet homme hors du commun, chasseur de trésors, fonde le "*Dolphin Project*" et choisit de se battre contre la captivité et pour la réhabilitation des dauphins que l'homme humilie pour son plaisir.

La captivité aura par certains côtés permis de faire connaître les mammifères marins et d'engendrer des mouvements visant à les protéger. Mais était-ce bien utile ? Leur "mystère" que nous teintons de souffrance reste toujours intact après un siècle de captivité. Les populations sauvages sont menacées d'extinction malgré le "souci" de préservation qu'affichent hypocritement les delphinariums. La captivité n'a aucune raison d'être. Il n'a jamais été vital pour qui que ce soit, y compris un enfant, de voir un dauphin "en vrai" et encore moins dans une piscine ! Qu'y a-t-il d'éducatif à voir un animal sauter dans un cerceau ? L'homme prend l'avion pour aller visiter les pyramides en Egypte. Pourquoi ne se déplacerait-il pas pour aller voir les dauphins dans leur milieu naturel ? En une vie on ne peut pas réaliser tous ses rêves. D'ailleurs serait-ce souhaitable ?... Pour ceux qui ne peuvent pas se donner les moyens d'aller admirer des dauphins en liberté, il y a les images superbes que nous offrent certains réalisateurs talentueux. Mais également des expositions pédagogiques ultra-sophistiquées encore trop rares qui, à renfort de plastique et de vidéos, reproduisent avec un réalisme étonnant les mammifères marins dans le contexte de leur environnement.

En voulant humaniser le dauphin, l'être humain aura commis l'erreur de comparer l'intelligence de ce petit cétacé à la sienne, ne se référant qu'à ses propres critères. S'il avait su prendre en compte qu'elle puisse être seulement différente et tenté de la comprendre en tant que telle, il en aurait été tout autrement de leur amitié.

En 1949, le jeune neurologue John Lilly fait figure de précurseur concernant la recherche scientifique entamée sur les mammifères marins. Avant tous, il dévoile les similitudes biologiques du dauphin avec l'homme. La taille du cerveau est identique, son sang est chaud, il porte ses petits dans son ventre et les allaite, il fait l'amour toute l'année pour le plaisir contrairement au reste du règne animal. C'est à partir de ce constat que la science dérape et bascule dans l'irrationnel.

John Lilly lance une impressionnante vague d'études anatomiques du cerveau des cétacés. Les dauphins du Marineland de Floride qu'il utilise meurent les uns après les autres. Aucun ne résiste aux anesthésiants, aux séjours de plusieurs heures hors de l'eau, aux électrodes placées à vif dans leur cerveau, etc... Lilly finira par reconnaître que ses travaux sont "psychologiquement traumatisants" pour les dauphins !

En 1957 il dépose le brevet d'une camisole à dauphin. Mais ce qui fonde sa renommée, bien qu'il fût tour à tour encensé puis renié par ses pairs en raison de ses échecs, c'est sa tentative à apprendre à parler aux dauphins ! Il n'obtient qu'un résultat très approximatif. Les cétacés ne disposent pas de cordes vocales. Ils ne font que reproduire par leurs sifflements une lointaine imitation de l'anglais qu'il leur enseigne. Retournant le problème, il s'attache dès lors à comprendre le langage de ses cobayes au moyen d'une machine de traduction simultanée homme-dauphin. Le projet baptisé JANUS est un fiasco total.

Jim Nollman, au Canada, est un des tout premiers scientifiques avec Paul Spong, en Colombie Britanique, à étudier les orques dans leur milieu naturel. Par le biais de la musique, ils parviennent à établir une forme de communication inédite où l'échange trouve enfin sa place. Malgré des conditions de travail difficiles, ils rapportent plus de données fiables que la science n'aura su le faire, durant plusieurs décennies, avec des animaux stressés d'avoir été coupés de leur environnement et de leur famille. Mais le douloureux constat qu'ils font des effets pervers de la captivité rencontre peu d'écoute, tant il met en péril les intérêts commerciaux d'une industrie avide de profits.

La delphinothérapie est le dernier créneau à la mode accaparé par une science classique qui refuse de s'avouer vaincue. Véritable commerce de santé qui ne compte déjà plus ses victimes, côté dauphins bien entendu. Enfants mongoliens ou autistes, adultes déprimés et femmes enceintes se pressent en masse dans ces centres où on vend du bonheur en kit dans la plus grande irresponsabilité.

Totalement préoccupé par lui-même, n'en n'ayant jamais assez (les dollars ne donnent-ils pas tous les droits ?...), l'être humain est, dans cette situation, incapable de percevoir le dauphin sur lequel il décharge aveuglément son mal-être. Mais, me rétorqueront beaucoup, ce n'est qu'un animal !...

L'armée de chaque puissance mondiale a pour sa part toujours su garder un œil vigilant sur la recherche scientifique.

Elle n'a pas hésité à se procurer ses propres cobayes pour tenter de leur arracher le secret de leur Hydrodynamisme. Tout autant qu'elle les a affublés en soldats kamikazes au Vietnam ou lors de la plus récente guerre du Golfe. La captivité pratiquée pour le compte de la violence est sans nul doute la plus rude pour les dauphins et la plus honteuse pour l'humanité.

***

Plus que tout autre animal, le dauphin suscite des passions excessives. Il incarne de nouvelles valeurs de vie et les espoirs des jeunes générations à la recherche d'un monde plus serein.

L'anthropomorphisme est aujourd'hui à son apogée, alimenté en cela par la littérature, le cinéma et les médias. Le logo du dauphin est surexploité par les entreprises ; normal, il fait vendre. Au pays de tous les excès, et notamment en Californie, on a fait de cet animal ludique un symbole. Idéalisé, il est considéré comme un être surnaturel doté de grands pouvoirs spirituels. A l'échelle mondiale, la vie des neuf dauphins "ambassadeurs" recensés est de plus en plus menacée par les débordements des foules.

En France, trois dauphines nous font cadeau de leur amitié désintéressée : Françoise dans le bassin d'Arcachon, Dolphy sur la Côte Vermeille et Fanny à Port Saint Louis du Rhône. Ces jeunes femelles de l'espèce *tursiops truncatus*, côtoient régulièrement leurs semblables passant au large mais ne s'intègrent jamais définitivement dans un groupe. Ce fait suscite toujours autant d'interrogations et donne lieu aux explications les plus extravagantes. Rejetés sociaux pour certains, pour d'autres ces dauphins seraient des messagers sacrifiés par leurs semblables et envoyés auprès de l'homme (d'où le terme "d'ambassadeur") pour le soulager de ses maux ! La mythologie remodelée façon New Age revient au pas de course ! Animal grégaire, la solitude n'est certes pas une situation normale pour un dauphin et menace sa survie à bien des points de vue. Le contact qu'il recherche délibérément auprès de l'homme est en tout cas un moyen de pallier sa solitude. C'est là que nos egos devraient reconnaître que dans ce cas précis, c'est nous qui sommes là pour eux et non l'inverse. Mais les tee-shirts, pin's et gadgets publicitaires en tout genre font vite oublier la juste attitude à observer, pour contribuer allègrement à la promotion de villes balnéaires en mal de notoriété. Tous sont avides de palper le héros du "Grand Bleu".

Faut-il que ces animaux soient en manque terrible d'affection pour supporter autant d'agressivité ! Les instigateurs de cette mascarade ne maîtrisent absolument pas ces excès de situation faute d'avoir su les prévenir.

Le dauphin séduit autant adulte que bébé. Il est également le seul animal sauvage à démontrer, dans un parfait esprit de non-violence, de la curiosité à l'égard de l'homme pénétrant son territoire.

Mais il ne suffit pas d'avoir effectué quelques brasses en sa compagnie, d'avoir lu tous les manuels scientifiques, ni même d'être allé le voir une fois dans un delphinarium pour prétendre tout savoir de lui. Le regard que nous portons sur l'animal quel qu'il soit conditionne notre attitude à son égard. Le fait que son individualité ne soit pas reconnue par notre société empêche que la relation s'établisse sur des bases saines. Homme ou dauphin, tout être vivant a pourtant sa propre personnalité et mérite d'être respecté en tant que tel. Il faut beaucoup de patience pour découvrir un être et de tolérance pour l'aimer tel qu'il est, non tel que l'on voudrait qu'il soit. Comment l'homme pourrait-il prétendre connaître un être à l'intelligence si différente de la sienne quand il se connaît si peu lui-même ? L'industrie d'exploitation des mammifères marins ne laisse pas trop le temps au public de se poser ce genre de questions. Elle l'endort à renfort d'esthétisme. Elle tient un discours mensonger dont chaque mot est calculé de façon à manipuler son émotivité et remporter une adhésion aveugle à son commerce. Le dauphin est en harmonie avec son environnement comme l'être humain ne le sera pas avant longtemps si chacun tarde trop à prendre en main son propre destin. Nous plaçant face à nous-même, son sourire nous séduit mais sa vérité dérange.

Lequel par conséquent, de l'homme ou du dauphin-clown, a foncièrement éteint sa lumière intérieure ?

CHAPITRE 3

Introduction à la captivité

Seaquarium de Miami (Floride). Juillet 1969.... J'ai six ans. Pour l'enfant que je suis la visite de "Flipper" est incontournable. Assise devant l'entrée, je sais que "mon" dauphin est là, libre dans la mer cachée par le mur, et qu'il m'attend pour jouer ! J'ai hâte de rejoindre mon héros pour qui je tremble quotidiennement devant mon petit écran, entre deux gorgées de coca-cola et quelques pop'corn sucrés-salés goulûment avalés.

Les acrobaties des dauphins-clowns se succèdent à un rythme effréné. En aucun d'eux je ne reconnais celui que j'étais venue retrouver. Assise sur les gradins, je m'interroge. Je ne me sens pas à ma place. Où est la spontanéité ? Où est la liberté ? Je sens monter en moi une inquiétude qui n'est pas celle d'une enfant de mon âge. Les dauphins que j'ai en face de moi ne m'apparaissent pas être de "vrais" dauphins. Je sens que la réalité est faussée, mais je n'ai pas la maturité nécessaire pour me l'expliquer. Je choisis d'enfouir mes questions dans un tiroir et de mentir ma joie aux grands. Mon âme n'oubliera pas.

Parc Astérix (France). Août 1993... J'ai trente ans. Et je n'ai pas oublié ! Le temps est revenu de refaire le chemin.

Assise sur les gradins du delphinarium, je ne me pose plus de questions. Les réponses, je les ai ! Baiser à l'otarie, chansonnette, au-revoir d'un coup de nageoire... la panoplie est complète pour donner l'illusion.

Athéna bébé-star tente de faire oublier les morts d'Elisabeth et Beila survenues alors qu'elles étaient arrivées à terme de leur grossesse. C'est une habituée du spectacle qui, peu avant ma visite, découvrira l'absence des deux dauphines, décédées en réalité deux mois plus tôt. Derrière les mots des hommes, à travers les regards de Pichi, Amaya, Guama et Laura, je comprends la tragédie qui est en train de se jouer aux dépens de toute l'humanité.

***

La Commission Baleinière Internationale estime à plus de 2 700 le nombre de *tursiops truncatus* capturés depuis 1913 à travers le Monde. Ceci pour le compte des parcs d'attractions, mais également celui des centres de recherche scientifique et de l'armée.

Viennent s'y ajouter 250 globicéphales, 150 dauphins tachetés, 120 orques, 100 bélugas (baleine blanche) et dauphins communs, 800 marsouins communs etc... Chaque année, une centaine de millions de visiteurs se rend dans les seuls Marinelands!

Le Fond pour les Animaux ("*The Funds for Animals*") de New York établit qu'entre 1973 et 1988, les Etats-Unis totaliseraient à eux seuls 533 captures de dauphins dans les mers de Floride et du Mexique. Par ailleurs, plus de 600 *tursiops* y auraient été capturés avant l'adoption en 1972 de la loi de protection des mammifères marins (MMPA : *Marine Mammals Protection Act*).

En 1995, environ 2 000 dauphins toutes espèces confondues sont détenus en captivité, ainsi qu'une cinquantaine d'orques. Sea World détient en permanence vingt et une orques dans ses quatre delphinariums. Si le groupe n'a plus capturé d'orques depuis 1978, il en aurait depuis acquis douze par voie détournée. L'Europe pour sa part totalise une centaine d'animaux captifs ; les Etats-Unis cinq cents. L'espèce *tursiops truncatus* (bottlenose dolphin) reste la cible préférée du *dolphin bu-*

siness. Les propriétaires de delphinariums prétextent une soi-disant plus grande capacité d'adaptation aux conditions de captivité. Ils raffolent surtout de son sourire naturel (en raison de ses mâchoires recourbées vers le haut) qui laisse supposer qu'il est toujours heureux !

Tous ces chiffres ne prennent pas en compte le recensement officiel peu rigoureux des captures entre 1960 et 1970. Pas plus qu'ils n'incluent le "gaspillage" qui est de mise lors de chaque capture. Il est de l'ordre de 50 %, confirme le Professeur Pilleri, ancien directeur de l'institut de recherche de l'université de Berne et qui a étudié pendant plus de vingt ans les dauphins détenus notamment en captivité. Les principales victimes sont les femelles enceintes, les mères séparées de leurs bébés. Ces derniers meurent sous leurs yeux, de l'autre côté des enclos où elles sont parquées avant d'être transportées à destination. Il faut rajouter les animaux mortellement blessés qui agonisent pendant plusieurs heures. Ceux très choqués psychologiquement par la violence de la capture, et qui meurent les jours suivants ou durant le transport final. Enfin, les plus résistants physiquement qui se jettent contre les parois de leur bassin ou ferment définitivement leur évent jusqu'à ce que la mort les délivre du cauchemar. Pour le Professeur Pilleri, 30 % des dauphins décèdent après vingt-quatre mois de captivité ; soit 50 % pour les *tursiops*, 97 % pour les orques adultes et 25 % pour les jeunes orques. Concernant la reproduction en captivité, il note 90 % de décès pendant la grossesse ou à la naissance. Entre 1963 et 1986, sur les cent trente-quatre dauphins toutes espèces confondues nés en bassin, cent six sont décédés !

Pour illustrer le gaspillage, il n'y a de meilleur exemple que le tristement célèbre massacre de Taïwan ordonné par un trafiquant suisse. En voici les grandes lignes telles qu'elles furent retracées par la presse qui s'empressa d'étaler le scandale en première page.

"En janvier 1980, un trafiquant suisse spécialisé pendant dix-huit ans dans la capture de dauphins au Mexique, Guatémala et à Taïwan, se lance dans une opération d'approvisionnement de dauphins “en gros” pour ses clients européens. Il organise à Taïwan la capture de soixante dauphins d’un coup ! Les pêcheurs locaux sont mis à contribution moyennant rétribution. Ils attirent les dauphins vers un étroit canal dans les récifs et leur coupent toute retraite avec les filets qu’ils tendent d’un bout à l’autre de l’entrée. Les animaux sont transportés par camions jusqu’à Makung. Là, ils sont parqués dans d’étroits enclos baignant dans les eaux insalubres du petit port. Dans cette première partie de l’opération, trente dauphins meurent.

Un de ses collaborateurs vient prendre le relais. A son arrivée, il constate qu’il ne reste plus que douze dauphins survivants ! Les cadavres abandonnés sur place multiplient le risque d’infection. Une deuxième opération de capture est organisée avec le concours d’une entreprise chinoise.

Le 26 avril, vingt-deux dauphins en piteux état sont finalement acheminés par quatre à bord d’avions de tourisme privés, jusqu’à l’aéroport international de Kaosing. Le 27 avril un dauphin meurt dans l’aire de fret, paniqué par le bruit des avions. Treize rescapés arrivent en définitive à Francfort. Le jour même, un bébé meurt suivi deux jours plus tard par sa mère. A terme, les huit dauphins encore vivants sont répartis entre différents parcs d’attractions européens. Le 30 avril, deux nouveaux dauphins décèdent à leur tour.

Aujourd’hui, du massacre de Taïwan, plus aucun dauphin n’est en vie.”

Pour la seule année 1990, deux cent trente-sept dauphins destinés à la captivité sont décédés pendant les opérations de capture.

***

Il existe encore plus de quinze delphinariums aux Etats-Unis et une vingtaine en Europe. Depuis la fin des années 80, les hôtels de luxe investissent à leur tour dans cette activité hautement lucrative. De Hawaï à Las Vegas en passant par Moorea, les dauphins sont mis à la disposition des clients, quand ils ne servent pas que de simples objets de décoration ! Les lagons privés font office de bassins. Aussi “naturels” soient-ils, jamais ils n'offriront les mêmes conditions de vie que celles dont jouissent les dauphins en liberté. La mortalité y est aussi élevée qu'ailleurs. Le réapprovisionnement est soigneusement assuré par quelques trafiquants renommés n'hésitant pas à recourir aux médias pour recruter leurs clients. Leurs publicités annoncent très franchement la couleur :

"Dauphins en bonne santé et alertes. Brillant spectacle. Livraison selon vos spécifications de taille et de sexe. Dauphins accoutumés à être nourris à la main, avec du poisson de la meilleure qualité. Remplacement garanti pendant quatre-vingt-dix jours"...

Les vétérinaires "achetés" par les delphinariums participent sans scrupules au camouflage de chaque décès et les rapports d'autopsie sont d'une manière générale et contraire à la loi, très rarement accessibles.

Delphinariums et associations de protection animale s'arrachent à renfort de polémiques un public qui ne s'y retrouve pas toujours.

L'industrie du dauphin vend un bonheur illusoire en kit et use d'un langage biaisé. Un dresseur est ainsi appelé "soigneur" pour redorer l'image d'un métier en réalité peu honorable. Elle fait croire que le héros du "Grand Bleu" est heureux dans sa prison en béton parce que le jeu reste son seul "souci" ! Si la captivité est si confortable, que ces messieurs apprentis sorciers qui se targuent de faire mieux que la Nature fassent de même ! Qu'ils s'enferment pour échapper aux préoccupations matérielles quotidiennes, aux dangers de la vie terrestre et s'adonnent au "jeu" entre quatre murs d'une cellule de prison... Ne dit-on pas qu'il ne faut jamais faire aux autres ce que l'on n'aimerait pas qu'ils nous fassent ? Quel être vivant, innocent de surcroît, aurait l'inconscience de préférer la détention à la liberté ? Aucun ! Et c'est pour cela qu'aux dauphins on ne donne pas le choix... En captivité, l'homme n'est-il pas le pire danger auquel le dauphin puisse être confronté ? La pérennité des profits repose uniquement sur l'adhésion naïve du public. Les alibis scientifiques et éducatifs traditionnellement invoqués masquent une réalité faite de combinaisons financières, de contournements des lois et de de souffrance. La vie dans les coulisses se résume aux privations, humiliations, solitude et maladies psychosomatiques dont l'issue est toujours fatale à plus ou moins long terme. Plus que tout autre chose, l'industrie redoute la concrétisation des projets de réhabilitation qui mettrait alors en péril sa crédibilité et son avenir. L'opération américaine ORCA, en 1987, a permis de prouver que les dauphins captifs pouvaient se réinsérer avec succès dans leur milieu naturel. On devine la pression exercée et les efforts déployés pour qu'elle ne fût pas réitérée ! La captivité est un terrain miné sur lequel il ne fait pas toujours bon s'aventurer. Les delphinariums font preuve d'une violence, à l'égard de leurs détracteurs, qui laisse deviner les failles...

L'industrie a su générer à temps de nouvelles modes, créer de nouveaux besoins pour continuer d'étourdir un public rapidement blasé. Le *dolphin watching* tente d'apporter une solution qui reste fragile tant elle est menacée à son tour d'exploitation commerciale. Un sanctuaire pour les baleines a été adopté en Mai 1994 à Mexico par vingt-trois pays lors de la dernière réunion de la Commission Baleinière Internationale. Qu'attendons-nous pour faire bénéficier d'une telle mesure les petits cétacés !

La captivité ne menace pas directement la survie des espèces, contrairement à la pollution et aux filets dérivants. Elle est en revanche un problème d'éthique que nous ne pouvons plus nous permettre de ne pas résoudre. Le fait reconnu, que les causes animales et humanitaires soient étroitement liées, dérange et pour cause ! Pourtant, comment l'être humain pourrait-il espérer respecter ses semblables quand il n'est que négativité à l'égard de la Nature ?

Le monde actuel vit dans un état d'urgence qui ne tolère plus aucune erreur, aucun détour. L'avenir de la Terre et le retour à une vie plus équilibrée reposent uniquement sur un changement radical des mentalités en faveur du respect de toutes les formes de vie. Seules les jeunes générations détiennent le potentiel pour le faire et il est heureux de constater

Les dauphins clowns ne sont nourris que pendant les spectacles, s'ils exécutent correctement leurs exercices.

Photo Ellsabeth Föhn

Keïko et Ritchie, au parc Reino Aventura.
Depuis le 7 janvier 1996, l'orque bénéficie d'un programme de réhabilitation dans l'Orégon.

Photo Ken Balcomb

L'étroitesse des bassins accentue, pour les dauphins,
le stress d'être détenu en captivité.

Photo Muriel Teyssier

Les yeux clos, brûlés par le chlore,
son sourire n'est en réalité qu'un rictus naturel.

Photo Kurt Amsler

Les dauphins deviennent fous sous l'effet des échos de leur sonar renvoyés par les parois en béton.

Photo Muriel Teyssier

Une vie artificielle, faite d'ennui et de solitude.

Photo Muriel Teyssier

Aussi "naturel" soit-il, un delphinarium n'est pas un lieu de vie.

Photo Aline Varnier

L'innocence derrière les barreaux.

Photo Eric Demay

que de plus en plus d'esprits s'éveillent à cette réalité. La société de consommation inhibe nos émotions, notre intuition et notre instinct dès notre naissance, entravant notre liberté intérieure.

Elle nous impose l'idée que l'homme dispose de tous les droits sur la Nature y compris celui de la détruire. Elle utilise un langage biaisé destiné à privilégier la cupidité et l'égoïsme. Les notions d'humilité, générosité, tolérance, compassion voire même d'amour sont devenues étrangères à nos sens. Et c'est aujourd'hui être accusé de sensiblerie que d'en faire l'éloge ! La responsabilité collective masque plus que jamais les devoirs individuels. Assisté en permanence, l'homme "moderne" s'est perdu en chemin.

CHAPITRE 4

Pris au piège

Il existe à l'heure actuelle deux principales zones de capture des petits cétacés : l'Amérique Centrale (Cuba, Honduras, Guatémala, Nicaragua) et l'Asie du sud-est (Japon, Taïwan, Corée).

La capture est un acte extrêmement brutal dont le traumatisme est renforcé par les moyens utilisés. L'indifférence et le cynisme que les hommes affichent à l'égard de leurs proies accentuent l'agressivité ambiante. Beaucoup d'animaux cèdent à la panique et meurent sur place, trop choqués pour survivre. Le prix d'un *tursiops* non dressé varie de l'ordre de 5 000 F (acheté lors des massacres d'Iki au Japon) à 300 000 F (à Cuba par exemple). Béluga et Fausse Orque étaient estimés entre 50 000 et 80 000 F en 1992.

Dressé, le dauphin se monnaye aux environ de 800 000 F et l'Orque jusqu'à cinq millions de francs!

Il existe deux façons de capturer les mammifères marins.

La première est essentiellement pratiquée en Amérique Centrale et touche les *tursiops.* Elle consiste à repérer les individus durant quelques jours et le moment venu de les traquer. Le bruit des moteurs des bateaux lancés à fond à leur poursuite perturbe le sonar des dauphins et les désoriente. Le groupe, coincé, est contraint de nager en cercles de plus en plus petits. Les filets se referment doucement sur lui... Les premières victimes sont les dauphins pris dans les mailles des filets et qui se noient.

Suivent ceux qui se débattent et se blessent en tentant de s'échapper, au point parfois de s'arracher une nageoire. Les dauphins sélectionnés sont hissés à bord des bateaux plus ou moins brutalement. Tétanisés par la peur, ils restent immobiles. Quand on sait la non-violence qui les habite, on devine le stress irréparable et inoubliable qui les envahit alors. Le choix final se porte bien évidemment sur les dauphins âgés de deux à cinq ans. Les jeunes femelles sont également très prisées. Il faut savoir que la reproduction est aujourd'hui et plus que jamais, un motif d'importation autorisé par la Convention de Washington ! Les delphinariums se sont empressés d'exploiter ce créneau afin de continuer à obtenir leur permis sans difficulté. Quelques dauphins sont rejetés à la mer les jours qui suivent leur capture lorsqu'ils ne répondent pas aux normes requises par les clients. Survivent-ils ?...

A bord des bateaux, on vaporise la peau fragile des dauphins au jet d'eau pour éviter qu'elle ne se dessèche. Transférés dans des enclos "d'acclimatation", ils sont gavés de vitamines, antibiotiques et sédatifs pour parer les déficiences inévitables.

Le stress subi entraîne un dérèglement rapidement fatal du système immunitaire. La perte d'un seul dauphin provoque un manque à gagner considérable que les trafiquants tentent par conséquent d'éviter par tous les moyens. Les animaux sont nourris de force.

Une personne tient fermement leur rostre ouvert (ce qui occasionne des déchirures autour de la bouche), tandis qu'une autre leur enfonce le poisson dans l'œsophage jusqu'à ce qu'ils déglutissent. Méthode pratiquée "graduellement" pour leur apprendre à réfréner d'eux-mêmes leur répulsion à manger du poisson mort. Les survivants deviennent vite dépendants de leurs geôliers pour la nourriture. Ils doivent ensuite attendre plusieurs jours, voire plusieurs semaines confinés dans un enclos avant d'être transportés par avion ou camion vers leur destination finale : delphinarium ou base militaire.

Que ce soit au moment de leur capture ou pendant leur captivité, les dauphins n'ont jamais démontré la moindre violence à l'égard des hommes alors qu'ils avaient la capacité physique de le faire pour se défendre. Une grande leçon de sagesse qui montre toute la valeur de leur sacrifice et renvoie l'homme à son niveau le plus primaire.

Les "drive-fisheries" sont la deuxième méthode de chasse pour capturer les dauphins. Elles sont de loin la spécialité des Japonais (pratiquée aux îles Iki, Kawana, Futo ou Taiji) et des Taïwanais. Les espèces touchées sont nombreuses : Grand Dauphin (*tursiops truncatus*), Orque, Fausse Orque, Dauphin de Commerson, Lagenorhynque, Dauphin de Risso, Globicéphale noir, Sténo.

Dans cette partie du monde, les pêcheurs continuent de considérer les dauphins comme leur principal concurrent. Au fil des siècles, ils ont fait de leurs massacres une tradition contre laquelle il est difficile de lutter. Les argumentations en faveur des cétacés se heurtent à un barrage culturel et rencontrent peu d'écoute. Les delphinariums occidentaux venant là pour s'approvisionner veillent jalousement au maintien des idées reçues.

Les pêcheurs frappent les coques de leurs bateaux avec des cannes de bambou pour désorienter les dauphins. Ils les rabattent par centaines dans une crique étroite et leur coupent toute retraite possible avec des filets. Survient ensuite la sélection des animaux qui seront acheminés vers les delphinariums déjà surchargés des pays voisins, ou vers l'occident. Les dauphins choisis sont amenés dans une baie voisine et parqués dans des enclos en attendant d'être vendus. Les autres, restés dans la crique, sont rabattus vers le rivage et massacrés de façon extrêmement brutale, à coups de couteaux et de harpons. Les corps gisent dans un immense bain de sang. Ils sont découpés puis vendus par morceaux sur les marchés locaux à des fins comestibles.

Ces massacres "traditionnels" sont par ailleurs vécus comme un sport par la population. Les visages souriants, détachés du haut degré de souffrance subie par les animaux, sont effrayants à regarder. On se heurte là, à une autre forme de sensibilité.

L'afflux des touristes en Asie ne profite pas par certains côtés aux dauphins qui sont soumis à la torture pour les apitoyer. On leurs soudoie quelques dollars en échange de la liberté de l'animal qui mourra de toute façon. A Penghu (Taïwan), le "jeu" consiste à obstruer l'évent des dauphins avec une bouteille de soda ou à leur sauter dessus à pieds joints, en riant...

La mise en application de la législation est très aléatoire dans cette partie du monde. Autre effet pervers qui incite les aquariums d'Amérique du Nord à venir s'approvisionner sur place pour leur propre compte. Un grand groupe américain n'a d'ailleurs pas hésité, dans les années 90, à passer des accords avec les pêcheurs d'Iki pour être prioritaire dans le choix des animaux rabattus lors des massacres...

Le MMPA interdit la capture des cétacés dans les eaux internationales pour l'importation aux Etats-Unis sans permis américain. En revanche tout pays peut à sa guise délivrer des permis de capture d'animaux à l'intérieur de ses eaux territoriales. La quantité de cétacés prélevés dépasse de ce fait souvent le nombre officiellement autorisé. Les dauphins sont dissimulés une petite année dans un delphinarium de leur pays d'origine puis importés aux Etats-Unis en tant qu'animaux déjà captifs, condition requise par le MMPA. Ce "blanchissement" concerne essentiellement le commerce des orques.

On constate depuis toujours une grande confusion au niveau de l'application internationale des législations relatives aux mammifères marins. Le MMPA et la Convention de Washington (CITES : *Convention on International Trade in Endangered Species/Convention sur le commerce international des espèces menacées*) sont encore trop souvent contournés par l'industrie d'exploitation des dauphins. Les gouvernements cèdent facilement au *lobbying* lorsque les enjeux financiers sont importants et peuvent leur être également profitables...

La CITES voit le jour en 1973 et entre effectivement en vigueur à l'échelon mondial le 1er Juillet 1975. Elle regroupe actuellement cent trente Etats membres, rejointe en dernier par... Cuba ! Son siège est à Genève (Suisse). Les espèces animales et végétales inscrites sur les listes de la CITES sont réparties en quatre annexes selon le degré d'extinction auquel elles sont soumises. En Annexe 1 sont inscrites les espèces en voie de disparition.

Leur commerce est interdit tant leur survie est menacée à court terme. Ce sont les chimpanzés, gorilles, tigres d'Asie, éléphants d'Inde, rhinocéros et les baleines grises en voie de retourner en Annexe 2. Des dérogations sont octroyées pour les recherches scientifiques.

En Annexe 2 figurent les espèces dont la population est réduite mais non menacée d'extinction par l'exploitation qui en est faite.

Un commerce est autorisé, soumis à un contrôle strict. Un permis doit être délivré par l'autorité compétente du pays d'origine de l'espèce concernée. Cela n'exclut malheureusement pas les fraudes sur le terrain! Sont notamment inscrits sur cette liste les *tursiops truncatus* qui peuplent les delphinariums et l'éléphant d'Afrique.

Le 1er Janvier 1984, une nouvelle directive de la Communauté Européenne (réglementation 3626.82 du Conseil) est entrée en vigueur. Elle a pour effet de renforcer les réglementations de la CITES : les dauphins et baleines figurant en Annexe 2, ont été transférés en Annexe C1, l'équivalent au sein de la Communauté Européenne de l'Annexe 1 de la CITES. Les permis d'importation pour les *tursiops* et les orques ne sont donc plus accordés qu'à des fins de recherche scientifique, d'éducation ou de reproduction. Rappelons qu'en France existe l'arrêté du 20 Octobre 1970 portant sur l'interdiction de capturer et de détruire les dauphins. L'article 1er spécifie qu'"il est interdit de détruire, de poursuivre ou de capturer, par quelque procédé que ce soit, même sans intention de les tuer, les mammifères marins de la famille des delphinidés (dauphins et marsouins)". Selon les statistiques officielles de la CITES, entre 1980 et 1983, 157 cétacés ont fait l'objet de transactions commerciales entre différents pays pour satisfaire la curiosité scientifique.

Le Marineland d'Antibes importe deux orques d'Islande en 1989, Tanouk et Sharkane, pour la mise en place d'un programme de reproduction. Fréya et Kim II, le couple importé d'Islande en 1982, semble stérile. Il donnera naissance en 1991 à un bébé mort-né. En 1993 Sharkane offre au Marineland sa première orque viable née en captivité et qui sera baptisée Shuka.

Le 18 juin 1988 le Parc Astérix importe trois *tursiops* de Cuba pour motifs éducatif et scientifique, comme m'en informera de vive voix son dresseur principal, en août 1993, parti depuis exercer ses talents dans un delphinarium Italien.

Guama, Amaya et Pichi sont rejoints six mois plus tard par Elisabeth, Laura et Beila. Les six dauphins proviennent de Cuba et n'ont jamais subi de dressage avant leur arrivée chez les Gaulois. Guama et Elisabeth ont été capturés en décembre 1987. Leurs compagnons en avril 1988. Tous proviennent de groupes de dauphins juvéniles âgés de quatre à douze ans. Athéna naît le 28 juillet 1993.

Soucieux de combler les places vides laissées par les décès d'Elisabeth et Beila en juin 1993, le parc profite de sa saison de fermeture hivernale pour importer le 20 novembre 1994 deux dauphins d'Allemagne. Arrivée discrète confirmée dans la presse allemande la semaine suivante par Wolfgang Schneider, propriétaire des animaux, pour répondre à la divulgation de l'information par les ONG locales (organisations non gouvernementales de protection animale).

Sindy et Beauty sont deux femelles *tursiops truncatus* âgées d'environ dix-sept ans. Elles ont passé quatorze ans dans le minuscule bassin souterrain du "Holiday Park" d'Hassloch. On y recense de nombreux décès dont les quatre bébés de Beauty (le dernier est mort en juin 1994 quelques jours après sa naissance) et celui du mâle Pedro en septembre de la même année. Sindy a été capturée à Mexico le 8 janvier 1982. Beauty, pour sa part, dans les eaux américaines le 21 mai 1982.

Toutes deux souffrent de lésions au niveau de leur évent, ce qui donne un comportement très caractéristique qui consiste pour les dauphines à claquer leur évent contre la surface de l'eau ou à se gratter contre les murs du bassin. En octobre elles ne démontraient plus aucun intérêt pour exécuter le show. Un mois après leur arrivée en France elles sortaient du bassin-hôpital, prenaient contact avec les autres dauphins et redécouvraient la lumière du jour.

A en croire leur propriétaire allemand, Sindy et Beauty ne sont en "vacances" que pour un an au parc Astérix qui n'en deviendra à son tour propriétaire que si les travaux de réfection prévus à Hassloch ne sont pas effectués. Des propos mensongers selon les ONG allemandes penchées depuis des années sur le dossier. En avril 1995 je constate par moi-même que Sindy et Beauty participent aux spectacles et ont dû par conséquent subir le dressage adéquat pendant les derniers mois d'hivers. Drôles de vacances...

Le parc est ouvert depuis peu au public et Laura manque à l'appel. L'année précédente j'avais constaté, en compagnie d'un ami vétérinaire, qu'elle était devenue obèse et que son comportement traduisait une dépression évidente. L'arrivée de Sindy et Beauty venant perturber la hiérarchie déjà établie, son moral n'a pas dû s'améliorer. Son décès m'est confirmé par un des responsables du parc que je rencontre ce 15 avril 1995, en compagnie d'un autre "activiste" arrivé le jour même d'Autriche. Il reconnaît également que Sindy et Beauty ne repartiront pas en Allemagne. Je viens à peine de rentrer du sanctuaire de Sugarloaf en Floride où six dauphins, dont trois de la US Navy, sont en cours de réhabilitation.

J'ouvre le dialogue sur l'éventualité d'une réhabilitation des dauphins d'Astérix, avec la participation du parc au projet. A ce jour sa direction "réfléchit" toujours, attendant sans doute le décès de tous ses clowns pour éduquer le public sur le respect à accorder aux dauphins.

Le fait pour une espèce d'être inscrite en Annexe 2 n'en limite pas le commerce, mais permet normalement d'en assurer le contrôle et de la transférer en Annexe 1 si sa survie était brutalement menacée. Les Annexes 3 et 4 rassemblent les espèces dont l'exportation fait l'objet de mesures de limitation.

Toute cette législation, qui se doit d'exister, rencontre beaucoup d'écueils dans son application sur le terrain. Son efficacité reste encore très aléatoire et encourage les trafiquants à entretenir un marché noir très florissant. De plus, tant que la CITES autorisera les importations sous couvert d'alibis qui ne se justifient d'ailleurs pas, la captivité continuera d'exister. Les petits cétacés ne sont toujours pas enregistrés sur les registres de la CBI (*Commission Baleinière Internationale*) qui se doit pourtant de les protéger au même titre que les baleines. Ce serait un moyen parmi tant d'autres de mettre fin aux massacres des îles Féroé où les dauphins sont sacrifiés à la tradition, et d'Iki où ils viennent compléter la chasse baleinière.

En mai 1994 lors de la réunion de la CBI à Mexico, la Norvège a refusé de prendre part au vote du sanctuaire adopté par vingt-trois pays. Elle a préféré émettre ouvertement son désir de poursuivre la chasse commerciale. Le Japon a également décidé de poursuivre ses massacres, sous couvert de "chasses scientifiques" qui ne sont que pure hypocrisie ! La poursuite de la chasse baleinière par ces deux pays contribue à entretenir des habitudes alimentaires relevant plus de la tradition que de la nécessité. Les viandes de dauphin et de baleine pourraient aisément être remplacées par d'autres tout aussi nutritives. Les delphinariums occidentaux n'auraient alors plus l'opportunité de venir s'approvisionner dans ces pays.

Encore récemment, un américain traquait les trafiquants de petits cétacés avec ses bateaux pour mettre fin, à sa façon, à cette forme de commerce figurant aujourd'hui parmi les plus injustifiées et les plus honteuses pour l'humanité. Des interventions musclées, alors que des captures étaient en cours, ont permis de libérer des dauphins qui venaient juste d'être fait prisonniers. N'est-il pas regrettable que des hommes se voient contraints de recourir à la violence contre laquelle ils s'insurgent pour sauvegarder des mammifères qui ont vu le jour bien avant nous, il y a des millions d'années ?

Les delphinariums veillent habilement à ce que le long et douloureux trajet suivi par les dauphins, depuis leur capture jusqu'à leur destination finale, soit ignoré du public. Il arrive pourtant que des projets en cours prennent l'allure de polémiques nationales, voire internationales. Groupes de protection animale et delphinariums mènent alors chacun leurs campagnes de front, s'arrachant l'adhésion de la population locale par l'intermédiaire des médias. L'éclat de la vérité au grand jour ne permet pas toujours l'anéantissement des opérations débutées en discrètement.

***

Avant d'être hissé à bord de l'avion qui le conduira dans un pays étranger, le dauphin est placé sur un brancard comportant des ouvertures pour ses nageoires et ses orifices naturels. Véritable camisole de force qui lui ôte toute possibilité de mouvement et le met dans un état de panique total. Seule une piqûre de valium peut y remédier, quand ce n'est pas la mort par crise cardiaque elle-même ! Le brancard est suspendu par des courroies dans un container en bois ou en aluminium. La peau du dauphin est excessivement fragile. On l'aura enduite de vaseline pour éviter qu'elle ne se dessèche. Commence ensuite une longue solitude...

A son arrivée au delphinarium, le dauphin est tétanisé par les longues heures d'immobilisation. Psychologiquement, il est définitivement marqué par la capture et l'enfermement qu'il a subis. Ses muscles sont ankylosés et les dresseurs doivent le soutenir pendant plusieurs heures dans son bassin pour qu'il ne se noie pas. Epuisé et traumatisé, il refusera de se nourrir parfois pendant plusieurs jours. Et si tel est son choix, il trouvera la force ultime de se jeter contre les parois de son bassin ou de fermer définitivement son évent pour échapper à la longue agonie qui l'attend.

Les delphinariums ne se targuent pas de ces suicides auprès de leur public. Seul le silence est de mise.

Dauphin-clown ou soldat, le spectacle continue !

CHAPITRE 5

La longue agonie du dauphin-clown

Les dauphins appartiennent à la famille des delphinidés. On compte approximativement trente-deux espèces avec les orques (*Orcinus Orca*). Ils vivent en groupes. La hiérarchie et la structure sociale y sont précisément définies. Chaque individu adopte un comportement spécifique à son âge et à son sexe. Les règles de vie sont transmises à travers les générations au moyen du jeu. La communication intense qui les anime s'exprime dans une grande variété de sons. Certains sont propres à chaque dauphin, ce qui leur permet de signer leur individualité. Les attouchements sont omniprésents. Ils dénotent une fonction tout autant sociale qu'affective ou purement sexuelle. Ils contribuent pour une large part à la cohésion et au bien-être du groupe.

L'infini de l'océan leur appartient. Les *tursiops* parcourent en moyenne soixante-cinq kilomètres par jour et plongent jusqu'à trois cents mètres de profondeur. Avec une spontanéité et une exubérance non dissimulées, ils laissent éclater leur joie de vivre. Leur quotidien se résume à trois activités : chasser, jouer et faire l'amour. Leur curiosité est insatiable. Il n'est pas rare de les voir copier le comportement des phoques, tortues de mer, pingouins,... voire celui des hommes dont la gaucherie ne doit pas manquer de les amuser ! La solidarité qu'ils démontrent en permanence les uns envers les autres nargue notre ego. Le dauphin blessé ou malade est soutenu à la surface de l'eau jusqu'à ce qu'il guérisse ou qu'il meurt. Les femelles se portent mutuellement assistance lors des accouchements. Pendant les captures, tout le groupe fait bloc. Ceux qui échappent aux filets suivent les bateaux jusqu'aux enclos, couvrant le bruit des moteurs de leurs plaintes. On devine l'impact que peuvent avoir de tels actes sur l'avenir du groupe. La structure sociale est brutalement détruite, les liens affectifs et familiaux anéantis.

Jamais la captivité, quelle que soit la forme qu'elle revêt, ne pourra apporter aux dauphins les éléments vitaux qui viennent d'être énumérés, et qui constituent leurs conditions naturelles d'existence. Le comportement d'un être vivant, quel qu'il soit, est dicté par son environnement. Le comportement d'un dauphin en captivité ne peut rien avoir de commun avec celui qu'il affiche en liberté. Certains scientifiques ont fini par l'admettre et par reporter leurs investigations en mer. En captivité, l'exubérance et la spontanéité cèdent la place à des réflexes conditionnés.

L'imprévu n'existe plus dans ce milieu artificiel où tout est programmé à l'avance et forcé.

En mer, le hasard devrait être le seul facteur responsable de la rencontre homme-dauphin. Le choix d'un contact rapproché laissé entièrement à l'initiative de l'animal. Dans cet idéal, ce moment intemporel est l'opportunité unique pour ces deux intelligences si différentes l'une de l'autre, de se découvrir et d'établir un échange.

Là où l'homme pénètre dans son monde, le dauphin démontre en toutes circonstances une bienveillance et une générosité témoignant d'une grande sagesse.

Là où le dauphin pénètre dans notre monde, l'homme démontre un égoïsme et une agressivité témoignant d'un grand aveuglement. Les dauphins nous offrent la liberté. Nous leur offrons des mouroirs en béton.

***

L'amour des dresseurs pour "leurs" dauphins est réel, mais il recèle une passion égoïste. La possessivité qu'ils éprouvent à l'égard de l'animal annihile toute possibilité d'échange. Elle les rend sourds à une vérité qu'ils n'ignorent pas et qu'ils portent en eux sous forme de culpabilité. A travers leur discours stéréotypé sur le bien-être des dauphins en captivité, on devine le doute omniprésent. Leur besoin de justifier chacun de leurs actes, et de leurs propos laisse entrevoir qu'ils tentent avant tout de se persuader eux-mêmes de leurs mensonges. Par crainte de se remettre en question et de perdre leur rêve égoïste, les dresseurs refusent toute opportunité d'interaction avec des dauphins sauvages. Jusqu'à présent, seul un petit nombre a trouvé le courage d'ouvrir sa porte à la vérité. Ces hommes et femmes travaillent aujourd'hui à la réhabilitation des dauphins captifs.

La communication entre le dresseur et le dauphin se fait par l'intermédiaire de trois éléments : le sifflet, les gestes et le poisson. Il n'y a aucune relation d'échange et les contacts sont dénués de tout intérêt. L'apprentissage de l'animal passe par un conditionnement basé sur la privation et la récompense. Un schéma dans lequel la faim joue un rôle déterminant. Quel dauphin irait sauter dans un cerceau de feu ou accepterait qu'un dresseur surfe sur son dos s'il n'était pas affamé ? Aucun, s'il ne savait que sa nourriture l'attend à la fin de l'exercice ! Les dauphins coopèrent parce qu'ils n'ont pas d'autre choix pour survivre. Celui qui refuse de travailler est isolé des siens quelques heures ou plusieurs jours, ignoré et bien évidemment privé de nourriture.

Durant les spectacles, "trois chances" lui sont offertes pour réussir son numéro de clown. Après quoi il se voit exclu. La torture psychologique est une routine dans le monde impitoyable des delphinariums. Le lâcher-prise dont les dauphins font preuve permet d'atténuer un tant soit peu le stress qui les envahit dès la première seconde de leur capture. A leur arrivée, ils sont soumis au rythme de vie jour/nuit de l'homme, ce qui contrarie leur rythme naturel. Le dressage est le seul moment actif dont ils bénéficient. Il rompt l'ennui chronique dans lequel ils sont inévitablement mais aussi intentionnellement plongés. Confinés, ils tournent inlassablement dans le même sens et leur nageoire dorsale s'atrophie faute de pouvoir utiliser leur potentiel physique comme en mer. La faim et l'ennui suffisent à eux seuls à garantir la réussite des shows. Les dresseurs établissent une progression dans l'apprentissage et varient l'ordre d'exécution des numéros pour éviter que le spectacle, répété sept jours sur sept et jusqu'à six fois dans la journée en période estivale, ne devienne lui-même trop monotone...

Les 9 et 10 juillet 1990 s'est tenu à Genève le Symposium de la Fondation Bellerive présidé par le Prince Sadruddin Aga Khan, sur le thème de la captivité des dauphins et des baleines. Il réunissait des scientifiques du monde entier, d'anciens dresseurs et fournisseurs de dauphins, et plusieurs organisations de protection animale. Les troubles psychosomatiques dont souffrent les mammifères marins y ont été exposés notamment par le professeur Pilleri. Prouvés et démontrés, ils sont similaires à ceux observés chez les hommes détenus en prison. Malheureusement pour lui, le dauphin ne parle pas et ne change jamais d'expression. Qu'il soit heureux, qu'il souffre ou qu'il meurt, son sourire ne s'efface pas...

En 1987, un trafiquant suisse loue deux dauphins à un grand hôtel du Caire (Egypte). Léo et Némo sont placés dans la piscine de l'établissement en compagnie de deux otaries. Un show doit être mis au point pour la saison d'été. Capturés dix ans plus tôt au Guatémala, leur vie se résumera à une longue et sinistre agonie.

Loués à travers l'Europe comme de vulgaires produits de consommation à des delphinariums vétustes, blessés à maintes reprises pendant les transports, les deux dauphins épuisés refusent de se prêter au show. Pendant une année Léo et Némo tournent sans but dans leur bassin chloré dans lequel ils ont été purement et simplement abandonnés sans surveillance médicale. Il faudra attendre que leur état ait atteint un point de non retour pour que les associations internationales de protection animale se mobilisent pour tenter de les sauver.

Ils sont transférés sous couvert de la justice au Marineland d'Antibes, pour y être soignés. Vidés de toute énergie, ils souffrent d'ulcère de la cornée. Mal nourris, ils sont devenus neurasthéniques et leurs plaies ne cicatrisent pas. Il était convenu qu'une fois rétablis ils seraient réhabilités dans la réserve d'"Into The Blue" aux Turks et Caïcos (Caraïbes) qui venait de permettre à trois dauphins d'Angleterre de renouer avec la liberté. Mais la lourdeur du système judiciaire et sa lenteur à résoudre le conflit né entre entre les différents partis concernés, condamnent définitivement toute possibilité pour Léo et Némo de retrouver la liberté qu'ils méritent. Ils se laissent alors flotter tristement à la surface de l'eau du bassin-hôpital. Malgré quelques rémissions, leur état de santé se dégrade irrémédiablement.

Léo meurt au Marineland d'Antibes en mars 1992, à deux coups de nageoires de la mer dont il recevait quotidiennement l'écho. Némo décède le 20 août de la même année. Resté seul, il était voué à une mort rapide. Le rapport d'autopsie du 28 août 1992 est réalisé par le responsable vétérinaire du zoo marin d'Antibes. Il révèle une défaillance des organes vitaux avec pour conséquence une hémorragie massive dans l'ensemble de la cavité abdominale.

***

En captivité les dauphins sont tous issus de familles différentes. La hiérarchie qui s'établit au sein du groupe est artificielle. Elle engendre des démonstrations d'agressivité qui sont par ailleurs favorisées par l'étroitesse des lieux et le surpeuplement. Les arrivées plus ou moins fréquentes de nouveaux venus ont pour effet de démanteler la hiérarchie d'origine et de faire naître de nouveaux conflits. Les traces de morsures sur la peau des animaux sont là pour le prouver. Les plus forts imposent aux autres la soumission. Le centre du bassin est la place du dauphin dominant. Il n'est pas rare de voir les plus faibles confinés dans les recoins. La solidarité naturelle est anéantie et les mammifères perdent leur identité. Les échanges entre delphinariums par intérêt commercial ou pour éviter les risques de consanguinité, détruisent à la longue leur personnalité et le peu de souvenirs de liberté qui leur restait en mémoire.

A Duisburg en Allemagne, une jeune femelle béluga a conservé sa couleur grise juvénile jusqu'à la mort de la femelle dominante.

Ensuite elle a pris sa teinte blanche d'adulte et participé aux spectacles !

En août 1989 au Sea World de San Diego (Californie), la jeune femelle orque de quatorze ans, Kandu, meurt en plein spectacle percutée par Corky, une femelle de vingt-cinq ans, dont elle tentait de remettre en cause la domination hiérarchique. Des flots de sang ont jailli de son évent sous les yeux des spectateurs pétrifiés.

Le 14 Mai 1991, Kahana, une femelle orque d'Islande âgée de quinze ans, meurt au Sea World implanté au Texas. Elle est retrouvée baignant dans son sang et atteinte de multiple fractures crâniennes qui proviendraient d'une attaque de l'orque mâle. C'est le septième décès recensé pour la compagnie américaine en l'espace de cinq ans.

Au début des années quatre-vingt-dix, Keltie Byrne, une jeune dresseuse du Sea Land de Victoria (Colombie Britanique) meurt noyée après être tombée accidentellement dans le bassin des orques. Celles-ci l'ont maintenue prisonnière pendant plus de dix minutes. Pour Paul Spong, le confinement d'un trop grand nombre d'orques dans un seul et minuscule bassin suffit à lui seul à expliquer l'apparition d'un comportement contre nature concrétisé de façon aussi dramatique.

Tous ces exemples laissent entrevoir une réalité qui n'a jamais été observée en liberté.

Les dauphins captifs deviennent malgré eux anti-sociaux et égoïstes. Les femelles font l'objet d'un harcèlement sexuel fréquent de la part du mâle dominant, y compris lorsqu'elles viennent juste d'accoucher. Celui-ci ne manque pas alors de recevoir une double dose de calmant ! La captivité a ses travers que la liberté ne connaît pas.

La communication au sein du groupe est réduite, au même titre que la solidarité. Nonchalants et hagards, les dauphins tournent inlassablement dans le même sens sans manifester la moindre émotion, toute juste un zeste de curiosité quand le public se presse le long des vitres longeant les bassins en sous-sol.

Les phoques et les otaries sont souvent oubliés lorsqu'on parle de captivité, tant du côté de leur propriétaire que des ONG.

Leur souffrance est moins entendue parce qu'ils font moins rêver et rapportent moins d'argent. Reclus dans des bassins proportionnellement plus exigus que ceux des dauphins, ils sont autant humiliés. N'ont-ils alors pas à ce titre droit, tout comme les dauphins, à autant d'attention et d'efforts consacrés à leur liberté ?

César et Cléa, les otaries d'origine du parc Astérix, sont arrivés de Californie à l'âge de trois ans. Cornélia et Pompéia ont rejoint le couple en 1990. En milieu de saison 1992, César et Cléa décèdent. Ils sont remplacés pendant l'hiver par Tom et Dixie provenant du delphinarium de Windsor Safari Park (Angleterre) qui a dû fermer ses portes pour cause d'insalubrité. Dixie donne naissance à Eolia en 1994.

Au Marineland d'Antibes, les phoques sont protégés du public par des fils électriques tendus à l'intérieur de leurs bassins !...

***

La captivité suffit à elle seule à créer un stress irréparable. Les réactions pathologiques qui en découlent sont très variées.

La mauvaise qualité de vie a pour effet de les amplifier. Cet état de tension nerveuse ne se manifeste pas ouvertement dès le début de la détention. Il s'étend dans certains cas sur une longue période, alimenté par une multitude de facteurs accumulés au fil du temps. Les sédatifs, vitamines et antibiotiques administrés systématiquement depuis la capture concourent à en camoufler les symptômes. La crise cardiaque et la défaillance du système immunitaire sont les premières manifestations couramment constatées. Le stress affecte la quantité d'enzymes destinés à nettoyer l'organisme de tous les déchets et polluants. Le dauphin devient alors plus sensible aux maladies humaines. Il développe principalement des maladies respiratoires (pneumonies), mais aussi des gastro-entérites, gastrites, maladies de peau, cécité, stérilité etc... La captivité des dauphins se solde, par ailleurs, par une importante mortalité en raison d'infections bactériennes et parasitaires plus fréquentes qu'on ne le croit. En liberté, les poumons des mammifères marins sont constamment l'objet de parasites. En captivité, ces derniers prolifèrent plus vite et la contagion est inévitable. Autre fait : un simple rhume contracté auprès d'un humain peut leur être fatal. Les décès par infection pulmonaire virale sont le lot quotidien des centres de *swim programs*. Les dauphins déjà stressés d'être touchés à longueur de journées, ne résistent pas longtemps aux bactéries humaines et aux multiples blessures occasionnées par les touristes.

Comme me l'expliquera de vive voix le Professeur Nouët, médecin biologiste et Président de la LFDA (*Ligue Française des Droits de l'Animal*), les mammifères marins sont particulièrement sensibles au bacille de Whitmore. En 1976, trente-huit dauphins sur quarante-deux meurent de "mélioïdose" au delphinarium de Hong Kong, maladie commune à l'homme et à l'animal. Elle se traduit soit par une septicémie foudroyante, soit par des abcès pulmonaires, hépathiques ou osseux dans un délai plus long. Le bacille de Whitmore pénètre par les voies aériennes et dans le cas des dauphins par leur évent. La "légionella pneumophila" à l'origine de la maladie des légionnaires, est une autre bactérie redoutable. Une atmosphère humide et confinée favorise son développement. Elle n'a aucun mal à se multiplier dans les gaines de ventilation des aquariums.

Fièvres, céphalées, hallucinations mentales, problèmes respiratoires et diarrhées sont autant de troubles résultant de la contamination qui peut conduire jusqu'à la mort. L'homme alors ne prend-il pas un risque en venant se divertir ?...

Peter, un de mes amis, convient en 1992 d'un rendez-vous avec le propriétaire d'un parc d'attractions suisse, pour aller nager quinze minutes avec ses cinq dauphins. Il est accueilli par une adolescente d'environ dix-sept ans faisant office de bonne à tout faire. Il signe un papier déchargeant l'établissement de toute responsabilité et paye les 50 FS convenus.

"On m'a emmené ensuite au sous-sol pour me changer. Là, un panneau indiquait que les douches ne pouvaient être utilisées... qu'après le bain ! Je suis remonté pieds nus jusqu'au bassin. On ne m'a posé aucune question sur ma santé ni mes antécédents médicaux. Avant de plonger, la jeune fille m'a décrit la règle de conduite à tenir.

Elle m'autorisait à toucher les dauphins, à m'accrocher à leur nageoire dorsale et à les repousser de la main s'ils tentaient de me mordre. Elle m'a conseillé de rester éloigné de la plate-forme de travail pour ne pas être projeté dessus comme c'est arrivé avec un visiteur précédent... La jeune fille n'avait aucune connaissance professionnelle. Elle ignorait même d'où provenaient les dauphins !

Dans l'eau, j'ai éprouvé des sentiments contradictoires. D'un côté j'étais impressionné par la grâce et la puissance des animaux lorsqu'ils passaient à côté de moi. De l'autre, j'étais affecté par la sensation d'être en prison... Plongeur confirmé, j'ai nagé de longs moments en apnée et tenté de les imiter. Les dauphins se sont alors rapprochés de moi.

Seule une femelle s'est montrée plus farouche que les autres. Quand je l'ai caressée, elle a fait mine de vouloir me mordre sans pour autant concrétiser ses intentions."

Le quart d'heure écoulé, il sort du bassin et contient tant qu'il peut sa tristesse de savoir que les dauphins qui viennent de lui apporter quinze minutes de petit bonheur passeront le reste de leur vie dans cette prison. Pour quel crime ?...

Cet ami ne souffrait d'aucune infection lorsqu'il s'est lui-même porté volontaire pour aller observer de plus près le sourire triste des dauphins-clowns. Qu'en est-il des personnes qui sont passées avant lui et de celles qui viendront après ?...

Le contrôle de la qualité de l'eau est vital pour les dauphins. L'eau de mer synthétique n'a pas la même température qu'en milieu naturel, ce qui leur pose déjà un problème d'adaptation. Sa composition en H_2O, chlorine, sel et acide hydrochlorique provoque de nombreuses lésions cutanées et oculaires. La peau des dauphins s'irrite au niveau du ventre au point de devenir rouge écarlate.

Leurs yeux se ferment, brûlés par le chlore. De nombreux dauphins souffrent de cataractes et de cécité. En cas de problème de filtration, les réactions ne se font pas attendre. On ne compte plus le nombre d'empoisonnements par le chlore, présent alors en trop grande quantité dans l'eau. Les delphinariums situés à deux pas de la mer ont l'avantage de pouvoir utiliser une proportion moins importante de produits chimiques et de pouvoir se fournir en eau de mer. Dans les lagons privés transformés en delphinariums "naturels", ce sont bien souvent les eaux environnantes polluées qui ont raison de la survie des dauphins.

La lumière a, pour sa part, une influence tant physique que psychologique. Trop intense, elle affecte l'intégralité de la peau qui s'éclaircit sous l'effet conjugué du chlore et réduit la résistance à certaines maladies virales. Insuffisante, elle diminue les performances et peut occasionner des pertes de poids.

Dans la nature les cétacés sont exposés à un certain taux de rayons ultraviolets qui ont pour effet d'activer la synthèse de la vitamine D. Trop nombreux, ils entament les composants de l'œil et entraînent une perte d'énergie. Le milieu marin est composé d'un fond marin foncé, voire noir. En captivité la lumière est omniprésente et son effet renforcé par les spots et la peinture blanche apposés sur les murs. Dans les delphinariums ne disposant pas de bâche pour protéger les dauphins du soleil, ceux-ci ne bénéficient d'aucun coin d'ombre et sont notamment aveuglés pendant les spectacles. Il faut savoir que le dauphin en captivité est obligé de réfréner ses instincts et d'inverser son comportement naturel qui lui fait utiliser davantage son sonar que sa vue. Puisqu'il ne peut plus chasser, son sonar ne sert qu'à lui éviter de se cogner aux parois du bassin. Il doit en revanche s'adapter rapidement à la vision hors de l'eau pour réussir ses exercices et pouvoir attraper sa nourriture. Ouverts plus qu'ils ne devraient l'être, ses yeux sont alors plus sensibles aux effets de la lumière et s'irritent davantage.

Autre facteur de stress : l'acoustique ! L'ouïe du dauphin est sensible à une gamme extrêmement variée de sons dont la plupart nous sont inaudibles. En captivité, le dauphin émet de moins en moins de sons au fil des mois qui passent... D'un point de vue génétique, les cétacés ne sont pas adaptés aux bruits mécaniques, à commencer par ceux des moteurs d'avions... L'écho provenant des machines de pompage et de filtration de l'eau les perturbent beaucoup. Il faut y ajouter le sifflet à ultrasons utilisé par les dresseurs, le bruit des haut-parleurs, des applaudissements et des cris du public derrière les vitres. L'eau est un facteur porteur du son et les vibrations sont renforcées par l'écho. A Conny Land (Suisse), un mur commun paré de vitres sépare en sous-sol le delphinarium d'une boîte de nuit. Il n'est pas difficile de deviner l'effet des spots et de la musique sur les dauphins auxquels n'est accordé aucun repos. Dans la journée la musique ambiante est diffusée au maximum de sa puissance et sans interruption !

Pour se diriger, les dauphins envoient des ondes à l'aide de leur sonar. Elles rebondissent sur les parois du bassin et l'écho qui leur revient les désoriente au point que certains d'entre eux développent une véritable névrose. N'ayant plus aucun repère, ils nagent alors de façon irrégulière et intermittente. Ils se cognent la tête contre les murs. Le recours aux sédatifs est dans ce cas extrême le seul remède possible mais cette solution n'a qu'un temps. C'est souvent dans ces moments où les dauphins se sentent complètement perdus qu'ils mettent délibérément fin à leur vie...

Du point de vue nutritionnel, les dauphins sont très sensibles à une mauvaise qualité de poisson. En captivité ils sont forcés de s'adapter à une nourriture contre nature faite uniquement de poisson mort congelé. Hareng et maquereaux constituent l'essentiel de leurs repas à raison de cinq kg en moyenne par jour contre la quinzaine qu'ils consomment quotidiennement en mer. Le processus de congélation est d'autant plus délicat qu'il augmente le risque d'infection par prolifération des bactéries présentes à l'origine dans le poisson. En plus, il occasionne une diminution de la vitamine B qui doit être remplacée artificiellement par des tablettes glissées dans le poisson.

L'accumulation de tous ces facteurs de troubles physiques provoque l'apparition de maladies psychologiques irrémédiables. Elle contribue en fait à développer une dépression souvent déjà latente. Antibiotiques, fongicides, sulfamides et sédatifs utilisés à outrance ne servent qu'à prolonger artificiellement la "vie" du dauphin. Les examens médicaux obtenus sur le même mode que les exercices sont reconnus comme étant d'importants moments de stress. Certains delphinariums recherchent désespérément une reconnaissance scientifique pour perdurer leur activité et se targuent de pratiquer endoscopie et échographie sous-marine sur leurs dauphins captifs. Détresse, déprime, anorexie, peur, anxiété, appréhension, nervosité, colère, agressivité, frustration et fatigue mentale sont le lot quotidien du dauphin captif.

Et le suicide ? Il n'y a rien d'anthropomorphique à l'associer aux dauphins. Il témoigne de l'impuissance de l'animal à faire face à la douleur physique ou morale une fois son seuil personnel de souffrance atteint, voire dépassé. La respiration est un acte conscient chez le dauphin et non un réflexe comme pour l'homme. Il doit être à chaque fois pensé pour être effectué. Le dauphin peut donc volontairement cesser de penser à respirer…

Kathy, dernière dauphine à avoir tenu le rôle de "Flipper" à l'écran, souffrait après le tournage de maladie de peau et de dépression. Un matin, son dresseur Ric O'Barry est appelé en urgence tant son comportement est des plus inquiétant. Kathy vient se blottir dans ses bras et prend une dernière inspiration avant de fermer définitivement son évent…

Les propriétaires de delphinariums passent judicieusement sous silence ces actes qui confirment l'état de bonheur extrême dans lequel sont plongés les dauphins en captivité ! Ils préfèrent parler de pneumonie plutôt que de dévoiler une réalité qui compromettrait leur avenir si elle était connue du public. La durée de vie des mammifères marins en captivité est depuis toujours l'objet de vives polémiques. Les delphinariums pourraient effectivement revendiquer une durée de vie plus longue qu'en milieu naturel puisque le dauphin n'y est pas soumis à la pollution, aux prédateurs ni à la quête quotidienne de nourriture.

Mais il faut remarquer que le fort taux de mortalité en captivité résulte du seul fait de la détention et du stress qu'elle engendre ! Ce qui est très grave ! Selon les avis scientifiques reconnus par l'ONU et la FAO, les *tursiops truncatus,* censés être adaptés à la captivité, ne survivent pas plus de cinq ans en bassin contre trente voire quarante en liberté. Les orques survivent une dizaine d'année contre quatre-vingts en milieu naturel. Les rapports d'autopsie sont rarement accessibles ou sont tronqués. Dans une lettre du 28 avril 1995 la Direction des Services Vétérinaires de l'Oise me répond qu'elle "n'a pas la la possibilité de communiquer d'informations concernant des établissements soumis aux contrôles de ses services à des tiers."

Le rapport d'autopsie de Laura est inaccessible, tout autant que celui d'Elisabeth et Beila. L'accès aux documents administratifs est pourtant chose légale en France.

Les dauphins décédés sont le plus souvent et très rapidement remplacés pour que le public n'y voie que du feu. Un public qui d'ailleurs n'hésite pas à balancer appareils photos, sacs plastiques, canettes de bières, gants de laine etc... dans les bassins pour prouver leur "sympathie" aux dauphins. Un certain nombre d'entre eux meurent étouffés après les avoir avalés.

Les noms de scène restent les mêmes. Le nouveau venu hérite du nom de son prédécesseur. Reviennent le plus souvent "Kandu" ou "Corky" côté orques ; "Speedy" ou "Alpha" côté *tursiops*. Ce camouflage permet de dissimuler le vrai taux de mortalité dans les delphinariums et de fausser les statistiques. Mais aussi d'escroquer les compagnies d'assurance qui n'ont aucun moyen de vérifier si le dauphin décédé était bien celui qui était assuré !

Au Japon on ne dénombre pas moins de quatre cents cétacés captifs répartis dans soixante-huit océanoriums ! La durée de vie y bat de véritables records en raison de la présence constante des “soigneurs”... Dans le reste du monde, aucun vétérinaire rattaché à un delphinarium ne travaille en réalité sur place. Il ne se déplace qu'en cas de besoin et vient souvent d'un pays étranger...

Les dresseurs n'ont pour leur part aucune compétence médicale.

La reproduction en captivité est le dernier créneau à la mode saisi par les delphinariums pour échapper aux contrôles et supprimer les frais de capture. Des bassins annexes sont construits pour faire office de nurserie. Les delphinariums outrent leur triomphe à chaque naissance réussie pour faire oublier les 99 % de morts périnatales. Les femelles, capturées trop jeunes pour avoir pu bénéficier de l'enseignement de leurs aînées, ne savent pas s'occuper de leurs bébés. Elles s'en désintéressent ou refusent de les allaiter. Les nouveaux nés se noient ou meurent de faim. 40 % des survivants ne verront jamais la mer parfois toute proche ni un poisson vivant ! Dès les premiers jours de leur vie, ils subissent tout autant que leur mère la violence du mâle dominant.

Le Marineland d'Antibes connaît une triste série de décès en 1991. En l'espace de deux semaines, trois delphineaux meurent dans les heures ou le jour suivant leur naissance. Coraline, après avoir donné naissance à un bébé mort-né, succombe à son tour un mois plus tard.

La reproduction en captivité relève encore du miracle et il serait souhaitable qu'elle en reste là! Le mélange de plusieurs espèces dans certains bassins a déjà donné des espèces hybrides. Les programmes de reproduction menacent les cétacés d'être réduits à l'état de simple bétail et d'être l'objet d'un trafic sans limites entre delphinariums. La première génération est déjà complètement dénaturée. Quand elle aura disparu, quels liens avec leurs origines restera-t-il aux troisième ou quatrième générations qui n'auront jamais vu la mer ? Entre 1963 et 1986, cent trente-quatre dauphins sont nés en captivité dans le monde toutes espèces confondues ; cent six sont morts. Sur un plan éthique, la reproduction en captivité est intolérable quand on sait qu'elle vise uniquement à générer des profits ! Un des buts de la protection d'une espèce par le biais de la reproduction en captivité n'est-il pas de pouvoir ensuite réhabiliter les individus dans leur milieu naturel ? Pourquoi les propriétaires de delphinariums uniquement motivés par l'argent, accepteraient-ils de promouvoir un tel challenge qui ne leur rapporterait pas un centime ?

Eclair et Manon, les deux bébés de Joséphine, Star du Marineland d'Antibes, verront-ils un jour la mer qui leur renvoie son écho à cent mètres de là ? Cet hiver, les huit dauphins ont été répartis au moyen d'une grue dans deux bassins-hôpitaux en raison de la réfection de leur "piscine". Eclair, Alizé, Cornélius et Ecume tournaient en rond dans celui destiné aux orques, séparés par une grille de leur plus grand prédateur après l'homme.

Joséphine, partageant son minuscule bassin avec Manon, Aurore et Malou, m'apporta lors de ma visite le peu qu'elle avait pour se distraire : une planche en bois et un cerceau en plastique. Méfiante vis-à-vis des hommes qui lui avaient ôté la liberté, elle mit de longues minutes à venir toucher ma main tendue à travers les barrières en bois.

La construction d'un delphinarium doit répondre à des normes précises fixées par la loi, conformément à l'arrêté du 24 Août 1981 pour la France et au Règlement CEE N° 3626/82 du 3 décembre 1982 relatif à l'application de la CITES dans la Communauté. Les bassins de présentation des dauphins doivent représenter une superficie minimale de huit cents mètres carrés, une hauteur minimale d'une fois et demie la longueur moyenne de l'espèce abritée (4,50 mètres pour les *tursiops*), et dans le cas des installations couvertes, d'un plafond de cinq mètres de hauteur. Il doit être accompagné d'un bassin d'isolement destiné "uniquement" aux contrôles sanitaires et aux soins vétérinaires... Le delphinarium du parc Astérix est reconnu pour être le plus "beau" d'Europe. Il est un des rares à respecter ce critère de superficie. En règle générale, il y aurait beaucoup à redire sur le non-respect des normes sur le terrain. Bon nombre de delphinariums européens ont été fermés parce qu'ils étaient jugés trop désuets. Toujours pour des raisons commerciales, des bassins irrespectueux des réglementations sont malgré tout tolérés. C'est en Allemagne (où subsistent des cirques ambulants avec des dauphins), en Suisse (qui échappe encore aux réglementations de la CEE dont elle ne fait toujours pas partie) et en Italie (où on recense encore des delphinariums aménagés dans des sous-sols) qu'existent les pires conditions de vie des cétacés.

Mais n'oubliez pas que derrière les plus beaux décors se cache toujours la même réalité sordide !

En 1993, la presse anglaise laisse éclater un scandale au sujet du delphinarium de l'île de Malte. Quatre dauphins importés d'une base militaire russe quinze mois plus tôt, y agonisent depuis un an. Le bassin de soixante centimètres de profondeur est rempli d'une eau croupie rendue presque bouillante sous le soleil. Un dauphin est déjà décédé et les autres sont dans un état alarmant. Ils attendent que la construction du bassin définitif soit mise en route et achevée dans un délai d'un an minimum ! Leur propriétaire aurait déclaré que bouger les dauphins risquerait de les stresser !

Mais sous la pression des médias et des associations internationales, le Ministère de l'Environnement maltais a fini par faire transférer les dauphins dans un bassin provisoire plus spacieux, situé à deux coups de nageoires de la mer...

Le 1er décembre 1983, Greenpeace assigne la Préfecture de Police de Paris devant le Tribunal Administratif pour sa négligence à faire appliquer à un célèbre cabaret parisien la loi du 10 juillet 1976 relative aux conditions de détention des cétacés.

Depuis 1968, le "bocal" de 4 x 5 mètres de l'établissement retient deux voire parfois jusqu'à trois *tursiops* prisonniers. Il est situé juste sous les planches de la scène où danseurs et chevaux font un bruit assourdissant pendant le spectacle. Isolés, affamés et dépressifs, les dauphins sont élevés dix minutes chaque soir sur la scène, le temps de participer à un numéro de strip-tease...

Loués au tarif mensuel de 5 000 DM chacun par leur propriétaire, les dauphins ne résistent pas longtemps à leurs conditions de détention difficiles et illégales. En 1984, le cabaret se voit contraint de cesser sa revue.

Tout comme en France, il ne reste plus “que” deux delphinariums en Suisse. En Juin 1994, je m’y rends en compagnie de Ric O’Barry, et de quelques “activistes” suisses. La réputation de ces deux mouroirs n’est plus à faire. Elle ne nous a pas attendus pour traverser les frontières, tant les scandales s’y sont succédés.

L’état désastreux des infrastructures vient confirmer l’idée que je me faisais d’avance.

Le Knie Kinderzoo de Rapperswill est un delphinarium minuscule et vétuste. Le bassin de présentation ne mesure que seize mètres de long sur dix de large, et trois mètres de profondeur. On est loin des normes réglementaires exigées, mais ce parc appartient à la plus célèbre famille du cirque de Suisse. Alors... . Ses dauphins proviennent presque tous des côtes de Floride. Créé à la fin des années soixante, il compte déjà treize dauphins décédés sur les seize qu’il aura accueillis. Sept dauphins y meurent en l’espace d’une seule année ! La dernière victime en date : Carmen, arrivée tout droit de Cuba avec sa cadette Alpha, le 15 décembre 1991. Elle décède en juin 1993 à l’âge de huit ans. Alpha, six ans, reste seule avec les deux femelles adultes Fritzi et Angel.

Créé en 1971, le delphinarium Conny Land à Lipperswill n’est guère plus grand que son voisin malgré la boîte de nuit qui s’y rattache... Trente-six dauphins provenant des eaux américaines s’y succèdent jusqu’à ce jour. Vingt-quatre y décèdent, dont cinq en 1993 (Lola, Speedy, Kuby, Lady Katta et Johana). Deux d’entre eux seraient décédés en 1994 au Safari Park de Fasano (Italie). Léo et Némo auront séjourné quelque temps dans la piscine aux senteurs de chlore écœurantes et dont l’eau vert foncé ne laisse guère entrevoir que des ombres de dauphins. Actuellement, cinq animaux s’y bousculent.

Aujourd’hui, l’avenir d’Alpha, Fritzi, Angel, etc... est dans les mains du Parlement suisse qui statue sur le vote d’un arrêté visant à mettre un terme à la captivité des mammifères marins et exigeant en conséquence la fermeture des deux delphinariums. L'Angleterre est le premier pays à avoir fermé tous ses delphinariums. La Suisse le rejoindrait ainsi au titre de pays responsable... Un sens des responsabilités qui n'a tout de même permis qu'à trois dauphins d'être réhabilités dans leur milieu naturel. Les autres ont été replacés dans d'autres delphinariums d'Europe. Le problème n'a malheureusement fait qu'être déplacé...

L'Italie détient vingt et un *tursiops truncatus* en captivité répartis dans cinq delphinariums. Ils proviennent essentiellement de Cuba, du Mexique, des eaux américaines et de la mer adriatique. Les conditions de détention des dauphins sont hors normes tant elles sont vétustes.

Le delphinarium du parc d'attraction Gardaland construit dans les années 70, est un des plus petits au monde. Il mesure huit mètres de diamètre sur trois de profondeur ! Des interactions avec des enfants sont organisées malgré l'agressivité inévitable qu'affichent les trois dauphins qui y séjournent !

Les delphinariums de Cattolica et de Ricione détiennent à eux deux une dizaine de dauphins. Bon nombre d'accidents y ont été enregistrés et l'historique des échanges des animaux entre les deux sites est complexe à retracer. Les bassins avoisinent les vingt mètres de diamètre et n'ont pas été rénovés depuis leur construction... il y a trente ans !

Cinq dauphins vivent dans le bassin tout aussi minuscule de Rimini. Speedy est connu pour son caractère agressif et son prédécesseur du même nom pour s'être automutilé à plusieurs reprises.

Le delphinarium de Fasano serait réputé pour être une plaque tournante pour le commerce européen, selon un rapport de la Fondation Bellerive basée à Milan. Ses dauphins proviennent du parc d'attraction suisse Conny Land. Avec le delphinarium de Gènes, il est le seul à offrir une "meilleure" qualité de vie à ses pensionnaires, tout en restant relatif bien sûr !

En Europe de l'Est, il est difficile de contrôler l'étendue de la captivité des mammifères marins. Leurs conditions de vie y sont plus précaires qu'ailleurs. Les spectacles itinérants font toujours recette et l'armée russe retient captifs environ cinq cents dauphins et baleines. Les bélugas sont à l'origine capturés en mer d'Okhotsk et entreposés à l'aquarium de Vladivostok avant d'être vendus.

Les Etats-Unis ne capturent plus de dauphins depuis 1991 mais les importations se poursuivent. On estime que la Marine américaine possède une centaine de cétacés. Autour de mille deux cent *tursiops* ont été capturés à la fin des années 80 dans le Golfe du Mexique pour les besoins civiles et militaires du pays. Mais l'entraînement des dauphins occasionne de tels coûts que la Marine a choisi de se débarrasser de ses kamikazes. Bien embarrassée, elle a proposé de donner vingt-cinq d'entre eux aux delphinariums américains et à défaut de les euthanasier. Seuls quatre d'entre eux ont répondu à son offre. L'opinion publique se positionne davantage en faveur de la réhabilitation des dauphins-soldats et la Marine a cédé, le 30 Novembre 1994, trois de ses dauphins âgés d'une dizaine d'années à Ric O'Barry pour qu'il les rende à la liberté après un programme de désintoxication qui n'est pas gagné d'avance...

La captivité à des fins militaires est une rude épreuve pour les dauphins. Des ex-dresseurs dans la Marine américaine, dont Rick Trout, ont apporté des témoignages accablants. "Les dauphins sont battus et subissent toutes sortes de mauvais traitements. Environ 20 % d'entre eux s'échappent tous les ans pendant les exercices ; parmi eux de nombreux *tursiops* de l'Atlantique s'enfuient dans le Pacifique, toujours porteurs de muselières qui les empêchent de se nourrir. Les dauphins sont utilisés comme torpille vivante ou entraînés à poser des charges explosives sur les navires ennemis."

Propos confirmés en 1993 dans une enquête de l'AHIMSA (*Association Humanitaire d'Information et de Mobilisation pour la Survie des Animaux* - Québec) : "Aux Etats-Unis les dauphins travaillent dans des centres d'entraînement à des fins militaires. Dans les bases de San Diego en Californie on recense plus de cent neuf dauphins. Ils sont dressés à diverses manœuvres de surveillance et d'espionnage : poser des appareils émetteurs sur les torpilles avec les missiles, rechercher des épaves, patrouiller et attaquer les hommes grenouilles ennemis. Voilà le lot du dauphin-espion enrôlé malgré lui dans la guerre des humains. La marine américaine dépense des millions de dollars à l'entraînement des dauphins-militaires et il semble que certaines missions soient d'une grande cruauté. Par exemple des dauphins, le dos couvert d'explosifs, seraient transformés en véritables kamikazes en chargeant les torpilles ennemies".

Les Etats-Unis ont utilisé les dauphins au Vietnam pour protéger leurs zones navales stratégiques. Ils en ont déployé dans le Golfe Persique pour contre-attaquer les hommes grenouilles iraniens. Le taux de mortalité est très élevé parmi les dauphins et les résultats ne sont pas toujours ceux escomptés. Certains dauphins partis en mission auraient choisi en chemin de faire demi-tour et de changer de cible ! Juste retour des choses...

Dans une lettre du 22 juin 1994 le SIRPA/MER m'informe qu'il "ne détient pas de documentation sur les cétacés puisque la Marine française ne les utilise pas".

Au Canada, le Parlement a voté début 1993 une loi interdisant les captures de bélugas, destinés entre autre à être exportés vers les delphinariums américains et européens.

***

Il est de coutume dans les delphinariums de forcer un enfant à embrasser un dauphin ou une orque. Cela fait partie du spectacle et du conditionnement imposé au spectateur pour lui fait croire que l'animal est heureux de sa visite... Véritable "baiser de la mort" en raison des risques infectieux qu'il occasionne tant pour l'être humain que pour l'animal. Par ce geste on force l'opinion de l'enfant avant même qu'il ait eu le temps de s'en faire une par lui-même. Par ce geste on légitime à ses yeux tout acte qui consiste à s'approprier la Nature et à en abuser au lieu de la préserver.

Je me poserai souvent la question de savoir comment tous ces animaux emprisonnés parce qu'ils sont innocents, parviennent à survivre ne serait-ce qu'un seul jour à la folie humaine.

Pourquoi Dieu permet-il que la Nature soit le souffre-douleur des hommes quand elle n'a que du bonheur à leur offrir ? Quelle raison valable existe-t-il à un tel sacrifice ?...

CHAPITRE 6

Docteur Flipper

A l'aube du XXIème siècle, les dauphins payent plus que jamais leur popularité à l'égard d'un public de tous âges, classes sociales et nationalités confondus. L'industrie du dauphin exploite les petits cétacés dans la plus grande allégresse avec le soutien de comédiens, mannequins ou champions sportifs prêts à tout pour entretenir leur notoriété. Elle a su saisir au vol le courant New Age médiocrement inspiré des philosophies orientales pour étendre son champs d'action. La delphinothérapie et les *swim programs* contentent d'illusions judicieusement calculées l'ego surdimentionné de l'homme et redonnent un second souffle au trafic des cétacés. On a trouvé un nouveau fantasme aux femmes enceintes pour accoucher de leur progéniture : partager leur douleur et leur sang avec des dauphins captifs, alors que l'ensemble des femelles du règne animal s'isolent pour donner naissance à leurs petits !... Les secteurs touristiques gravitant autour de l'industrie suivent le mouvement sans rechigner, escomptant des gains considérables qui d'ailleurs ne se sont pas fait attendre.

Des Bahamas à la Polynésie Française en passant par Las Vegas, des centres commerciaux et l'hôtellerie de luxe ont réduit les dauphins à l'état de simples objets de décoration. Cette dernière a même poussé le vice jusqu'à aménager ses lagons privés en delphinariums "naturels", mais les Grandes

Lois se chargent parfois de contrarier les résultats escomptés. A Moorea (Polynésie Française), l'hôtel Beachcomber fera les frais d'un trop grand empressement à satisfaire ses ambitions mercantiles sans avoir auparavant pris en compte tous les paramètres liés à la captivité.

Aujourd'hui il est de bon ton de reculer toujours plus loin les limites de l'exploit. Combat d'egos contre le TOUT, sacrifiant les dauphins pour que leur mort emporte avec elle la lâcheté et la culpabilité humaine. Aveuglement d'egos arrachant sous l'œil vigilant des requins ce mystère delphinien qu'ils convoitent et qu'ils exècrent à la fois. Paresse d'egos à prendre en charge leurs destins et qui déversent la peur qu'ils ont d'eux-mêmes sur des dauphins qui ne leur ont rien demandé.

Le *dolphin business* vit depuis ces dernières années de trois grandes activités : les *swim programs*, la delphinothérapie et le nourrissage (*feeding time*) associé au *dolphin watching*.

***

Swim programs.

Les intéractions programmées avec des dauphins captifs procèdent de deux façons.

Dans le premier cas, les *swim programs* sont organisés dans des criques ou lagons naturels aménagés à cet effet. Ils sont souvent accompagnés d'une infrastructure touristique ultra-sophistiquée.

Les dauphins "bénéficient" d'une semi-liberté plus effective sur les plaquettes publicitaires que sur le terrain. Faveur accordée en tout état de cause après plusieurs mois de conditionnement et sous l'œil vigilant des dresseurs. Rendu à ce stade de dépendance, aucun dauphin arraché à sa famille et privé de ses capacités naturelles ne peut surmonter seul sa peur de quitter son enclos. Son milieu d'origine est devenu pour lui synonyme d'inconnu et de danger. C'est la raison pour laquelle libérer un dauphin captif sans prendre le temps de le réadapter revient à le condamner à une mort certaine.

Un centre de *swim program* a été créé en 1990 par deux anciens dresseurs au bord de la Mer Rouge afin d'y étudier la communication homme-dauphin. Les dauphins d'origine ont été offerts par l'Académie des sciences de Russie et l'un d'entre eux ramené des îles Iki. Ce centre à vocation scientifique a rencontré les difficultés financières habituelles et le tourisme a fait office de bouée de sauvetage au point de lui valoir aujourd'hui une renommée internationale. Des filets séparent les sept *tursiops*, dont un bébé né en captivité, de la liberté. Le bassin fait une surface totale de 10 000 hectares sur dix-huit mètres de profondeur. Dans une lettre du 5 septembre 1993 le directeur du centre me confirme que les dauphins subissent un entraînement quotidien au cours duquel ils sont nourris. Le reste du temps, ils contentent les touristes au tarif de 300 F la journée.

Ce centre a créé un département de thérapie par les dauphins, destiné à soigner le déséquilibre psychologique des enfants autistes, des handicapés, des adultes dépressifs par un contact direct avec les dauphins. Des femmes enceintes à la recherche d'un accouchement à sensations sembleraient y avoir également trouvé leur bonheur...

Cette nouvelle forme d'exploitation des dauphins a été rapidement copiée à travers le monde. Les Keys en Floride, les Bahamas et les Caraïbes regorgent aujourd'hui de ces centres qui poussent comme de véritables champignons. Leur activité lucrative connaît un succès indéniable. Les listes d'attente ne désemplissent pas. Les recettes varient en moyenne de 800 à 1 200 $ par jour.

En avril 1994, à l'occasion d'une interview sur son interaction avec le dauphin solitaire Fungie en Irlande, Nina témoigne de son séjour dans un de ces centres basés dans les Bahamas :

“L'infrastructure est énorme, managée comme les américains savent si bien le faire. La publicité est omniprésente et j'ai dû réserver trois mois à l'avance mes heures de plongée! Le centre possède une dizaine de *tursiops* capturés jeunes à Cuba. Lorsque je suis arrivée les dauphins venaient d'être transférés dans une autre baie. Auparavant ils avaient passé quatre années dans la base du centre, petit port dans lequel les bateaux viennent régulièrement démazouter !

Trois programmes sont proposés aux touristes. Le premier vous offre pour 150 F la possibilité de caresser les dauphins au centre d'une plate-forme aménagée au milieu d'un des enclos. Les dresseurs les attirent avec du poisson et les nourrissent en permanence. Le deuxième vous permet pour 250 F les quarante-cinq minutes de "nager" avec une des deux dauphines dressées à cet effet. Le dresseur lui donne l'ordre d'aller nager vers une personne. Elle s'exécute. Coup de sifflet. Elle revient chercher son poisson. Il n'y a aucun contact, aucun échange avec les dauphines. J'ai eu l'impression d'être avec des robots. Bref, c'est le grand show dont tu es l'un des acteurs. Les dauphins sont conditionnés et ils ne recherchent que le poisson.

Le troisième programme, de loin le plus prestigieux et le plus recherché, ne s'adresse qu'aux plongeurs confirmés. Il propose une "dolphin experience" en pleine mer pour 500 F, avec les deux dauphins vedettes. Là, on ne te brief pratiquement pas ! On t'amène auprès des dauphins et on te les présente "en gros". Puis le bateau part au large, suivi par celui des dresseurs. Les dauphins ne sortent pas spontanément de leur enclos et ils leur jettent constamment du poisson pour qu'ils les suivent. Les dresseurs les nourrissent pendant tout le trajet comme s'ils avaient peur qu'ils s'enfuient… Arrivés à destination, l'un d'eux se met à l'eau avec toujours un sac rempli de poisson. Il faut savoir que ce dernier provient tout spécialement du Canada. Les dauphins en sont très friands en raison de son goût très fort. Cela les rend encore plus dépendants de l'homme. Le dresseur descend avec les dauphins à quinze mètres de profondeur, pas plus car ils n'ont plus l'habitude de plonger et risqueraient d'être effrayés. Le groupe de plongeurs les rejoint et s'assied au fond en fer à cheval. Et le show commence ! Un caméraman est présent et vous pouvez acheter pour 100 F la vidéo de vos exploits. Un par un, les plongeurs "échangent" avec un des dauphins qu'on leur a désigné un baiser sur leur détendeur et quelques caresses, sous le contrôle des dresseurs et moyennant toujours du poisson en guise de récompense… Le regard des dauphins est vide d'expression, comme mort. Ils ne te regardent même pas !

La scéance terminée, les dresseurs ramènent les dauphins en premier à leur enclos et le bateau des plongeurs regagne directement la base.”

Pour parfaire son expérience, outre les trois programmes qu'elle a effectués, Nina avait suivi le jour précédent le stage de formation d'assistant-dresseur qui s'étale sur toute une journée. Après avoir préparé le poisson et nourri les dauphins, elle a accueilli les groupes de touristes avec les dresseurs et participé au troisième programme. Ce qui se passe cet après-midi là est inattendu mais parfaitement révélateur du conditionnement imposé aux dauphins. La vidéo qui appuie ses propos est stupéfiante.

“Alors que les bateaux sont presque arrivés à destination, les dauphins disparaissent brutalement. Affolés, les dresseurs partent à leur recherche. On attend depuis un petit moment quand un groupe de vingt dauphins tachetés surgit autour de nous. Les dresseurs arrivent presque au même moment avec les *tursiops* qui sont tout d'abord intimidés. Les tachetés viennent les narguer et finalement ils se laissent entraîner dans une partie de jeu époustouflante. Mais leur regard reste vide comparé à celui très vif des tachetés. Pendant toute l'heure que dure l'interaction, les dresseurs ne cessent de donner du poisson à “leurs” dauphins, cassant le rythme du jeu à chaque fois, afin de s'assurer qu'ils ne partent pas avec le groupe. Effrayant ! Alors que je suis dans l'eau, je les vois aller chercher leur poisson accompagnés de trois tachetés. Un morceau tombe dans l'eau. Un des tachetés, intrigué, s'en approche, puis le repousse avec son rostre ! Pour moi c'était là l'image de la liberté...”

Malheureusement la majorité des touristes est loin de raisonner comme Nina et a tôt fait d'oublier les grillages de ces complexes “naturels”. Ils cautionnent pourtant par leurs visites une “semi-captivité” tout aussi tragique que celle plus traditionnelle des Marinelands. Ces centres vendent un illusoire bonheur en kit, et cela arrange les générations d'inconscients dénués de bon sens et partisans du moindre effort qui tombent dans leur piège. Là, vous n'avez pas à attendre des heures qu'un dauphin daigne pointer le bout de son rostre sous votre nez ; de surcroît lorsque c'est pour simplement assouvir sa curiosité et non pour vous faire plaisir ! Là, il est à votre entière disposition. C'est même lui qui vous attend pour pouvoir manger !

Dût-il y laisser sa vie grâce à vos bactéries. Société de consommation oblige ! Pour Naomi A. Rose, Ph. D., scientifique spécialiste des mammifères marins, "dans chacun des quatre centres de *swim programs* existant aux Etats-Unis des blessures de nageurs ont été déclarées, de la plus superficielle à la plus sévère, et tous les dauphins ont présenté à un moment ou à un autre des signes extérieurs de stress." Ce que l'on dit moins, c'est que le risque d'infection et de blessure existe autant pour l'homme

Dans le deuxième cas, les *swim programs* sont organisés au large des côtes avec les groupes de dauphins sauvages habitués à rencontrer l'homme. L'initiative de l'intéraction a ici l'avantage de ne dépendre que du bon vouloir des dauphins. Le New Age fait partie intégrante de l'événement. Des scéances de méditation ont lieu avant la plongée et sur le bateau. Certains groupes organisent même des séminaires de préparation mentale à penser et respirer comme les dauphins... Or vous ne serez JAMAIS comme eux, pas plus qu'ils ne sont des extra-terrestres ou des Dieux ! Où est la spontanéité dans ce délire spirituel ? Comme je l'ai déjà dit, il est important de se débarrasser de ses rêves et de rabaisser son ego lorsqu'on choisit délibéremment d'aller nager avec des dauphins. Mais il y a tout de même des limites !

Jusqu'à l'année dernière, un centre franco-américain proposait des séminaires d'expérience divine avec les dauphins sauvages d'un parc national mexicain proche de Cancun. Pour 1 200 $ vous passez déjà cinq jours de méditation à rechercher votre Moi Supérieur, vos expériences antérieures avec les dauphins et à tenter d'apprendre à respirer comme eux. En doublant la somme vous pouvez, les six jours suivants, vous offrir le grand voyage intersidéral avec vos idoles. Commentaire de la direction :

"Lorsque nous voyageons avec les dauphins dans d'autres mondes galactiques, nous avons accès à d'autres dimensions, à d'autres plans de conscience, à d'autres formes de vie."

Cette méthode d'approche des dauphins est certes beaucoup moins préjudiciable que la précédente puisque la captivité n'entre pas en jeu. Mais on peut redouter que son expansion liée à des motifs spirituels grotesques ne vienne perturber la vie sociale des cétacés et ne les mette en danger dès l'instant que l'homme envahit trop fréquemment leur espace vital. Il a d'ailleurs été rapporté que certains dauphins adoptaient un comportement sexuel provocateur et, plus rarement, se montraient agressifs. Ils ont beau avoir l'infini de l'océan pour nous fuir, n'oublions pas que la mer LEUR appartient et que l'homme n'y est qu'un étranger.

Nous nous devons, en conséquence, de respecter leur territoire et leurs habitudes, et non de nous imposer. Les hôtels de luxe participent à leur façon au commerce des *swim programs*. A Los Angeles et à Las Vegas, les dauphins sont utilisés à des fins décoratives. Le "Hyatt Regency Waikola" d'Hawaï, le "Kahola Hilton" en Honduras et le "Beachcomber Hotel" de Moorea (Polynésie française) ont pour leur part mis au point des programmes plus ambitieux. Les conditions de détention imposées par le MMPA ne seraient pas toujours scrupuleusement respectées.

La société "Waikaloha Marine Life Fund" associée à la "Dolphin Quest" dirigée par le mondialement connu trafiquant américain Jay Sweeney, vétérinaire de son état, exploite six dauphins au "Hyatt Regency Waikola" d'Hawaï. En 1988, il avait à l'origine capturé huit dauphins dans les eaux de Floride (permis N° 625) mais deux sont morts en mars et juin 1989. Les survivants ont été parqués entre plusieurs filets au milieu des bungalows montés sur pilotis. Mille cinq cent clients s'offrent chaque année pour 55 $ une demi-heure de bonheur égoïste avec les dauphins. Pendant la saison des pluies, algues, détritus et sacs plastiques s'amassent dans le lagon comme me l'écrira un touriste..

En 1993, l'hôtel Beachcomber de Moorea entame l'aménagement de son lagon privé, et demande à Jay Sweeney de lui capturer douze dauphins et de les entraîner en vue de les faire nager avec les touristes de l'île. Officiellement, la direction de l'hôtel invoque les habituels motifs d'ordre éducatif et scientifique. Jay Sweeney ne se fait pas prier. Les captures étant interdites dans les eaux territoriales américaines, il se rend en Nouvelle-Calédonie pour prélever les dauphins. Il n'est pas sans savoir que les TOM (*Territoires d'Outre-Mer*) ne sont pas soumis aux lois de la Métropole. Sur un plan législatif, la loi de 1976 portant sur la protection de la nature ne peut s'appliquer aux TOM qu'après décision de l'Assemblée Territoriale compétente. Il n'en reste pas moins que les captures en vue d'importation restent soumises aux conditions de la CITES. En détournant les lois américaines, Jay Sweeney ne tenterait-il pas de laisser supposer que les autorités françaises sont plus conciliantes ?...

Le 15 décembre à Paris, une ONG est informée par un de ses correspondant de l'imminence des captures, au large de Nouméa. Les bateaux de la Dolphin Quest ont déjà repéré les dauphins et s'apprètent à prélever douze jeunes *tursiops* d'un même groupe ! Ils n'attendent plus que l'autorisation officielle des autorités locales. L'opportunité m'est offerte de suivre l'affaire dans sa globalité et de participer sur le terrain aux tentatives de la faire capoter. Les ONG du monde entier sont mobilisées en un temps record. Elles font aussitôt pression sur les autorités de Nouvelle Calédonie, appuyées en cela par les médias. En France, le Ministère de l'Environnement exprime son impossibilité d'action en raison de l'inconsistance législative qui sévit dans les TOM.

Le 23 décembre, l'administrateur en chef des affaires maritimes de Nouméa déclare par courrier officiel que l'autorisation pour les captures ne sera pas délivrée. Mais le combat pour la liberté ne fait que commencer ! Il était à prévoir que la Dolphin Quest, loin de s'avouer vaincue, irait prélever ses victimes ailleurs... voire sur place. Or à Moorea il n'existe aucune population de *tursiops* donc d'espèce de dauphins susceptibles de s'adapter à la captivité, si tant est que cela puisse être possible même pour les *tursiops* !

Le 25 janvier 1994, deux jeunes femelles Sténo (Rough-toothed Dolphin) sont capturées au large de Moorea face à la côte de Tiahura. Elles avaient été repérées deux semaines plus tôt, en jouant dans l'étrave du bateau de leurs futurs geôliers. Les scientifiques participant au projet seraient même allés jusqu'à les approcher sous l'eau pour mieux les apprivoiser...

"Elméo" et "Tiaré", leur confiance trahie, sont placées dans le petit bassin-hôpital du parc de 5 000 mètres en attendant de nager avec les touristes. Seuls des grillages les séparent du grand large. Les jours suivant, trois autres dauphins rejoignent les "Demoiselles de Tiahura", ainsi baptisées par la presse locale, soit un Sténo de la même espèce et deux femelles Péponocéphale (Melonheaded Whale). Après examen, il ressort que certaines femelles sont gravides ! Deux dresseurs, du Shedd Aquarium des Etats-Unis, rejoignent Moorea pour commencer le dressage des dauphins.

Or, curieusement, le destin semble s'acharner sur le projet. Les habitudes alimentaires des deux femelles Péponocéphales sont très spécifiques et diffèrent de celles des Sténos. Les dauphines ne s'adaptent pas et refusent de se nourrir. Soucieux de préserver la crédibilité d'un projet qui ne fait pas l'unanimité, la Dolphin Quest est contrainte de les relâcher. En présence d'un huissier par besoin de transparence, les deux dauphines sont embarquées et libérées en haute mer. Dans leur groupe d'origine ? Qui s'en soucie ?... L'histoire ne dit pas si elles ont survécu au stress qu'elles auront subi.

Le 6 mars, deux des dauphins restés captifs décèdent dans des circonstances moins mystérieuses que la Dolphin Quest ne le laisse entendre dans un premier temps. Elle répand une première rumeur d'un empoisonnement perpétré par un inconnu. Deuxième rumeur : la seule intrusion de l'homme dans le bassin aurait suffit à provoquer la mort des dauphins. Un fait qui peut paraître embarrassant lorsqu'on sait qu'elle les destinait à nager avec les touristes !...

Après enquête de la gendarmerie locale et de multiples autopsies réalisées en Métropole, le Parquet informe en juillet 1994 l'avocat de la SPA locale que : "les expertises toxicologiques avaient été positives et que les tissus des dauphins examinés contenaient une toxine émanant de pesticides." Il reste à déterminer d'où proviennent ces produits toxiques et s'ils ne trouveraient pas leur origine dans les traitements périodiques faits autour des bâtiments de l'hôtel. On est en droit de se demander si Elméo et Tiaré ne seraient pas tout simplement décédées du seul fait de leur captivité...

En mai 1994, je rencontre à Paris l'"inconnu" devenu bouc émissaire malgré lui et accusé dans un premier temps du décès des dauphins. Depuis, la Dolphin Quest reconnaîtra que son intrusion n'est pour rien dans le décès des dauphins et qu'il n'est pas possible de lui reprocher une quelconque violence à l'égard des animaux. La Fondation Bardot est très active sur le dossier, soutenue en cela par quatorze organisations européennes.

C'est en toute logique que Jean-Michel, GO français au Club Méditerranée de Moorea situé à deux pas du Beachcomber, lui demande son aide. Voici son témoignage, qu'il aura été contraint auparavant de déposer à la gendarmerie locale de Moorea :

"Par un ami dont le frère travaille au Beachcomber, je venais d'apprendre que les trois dauphins ne mangeaient plus depuis quatre jours. Je me suis posé beaucoup de questions et finalement au bout de trois jours, j'ai décidé de me rendre dans le lagon et de les libérer. Je devais y aller avec une autre personne mais elle s'est dégonflée au dernier moment ! J'ai descendu le courant et je suis arrivé sur place à 4 h du matin. J'ai laissé ma bouteille entre deux rochers et j'ai gagné le bassin, armé de ma lampe et d'un couteau pour couper les filets. Quand je suis arrivé, j'ai vu des grillages placés à moitié des filets jusqu'au sol. J'ai alors compris que les dauphins ne pourraient pas passer par là ! Avec le couteau je me suis trouvé un peu bête ! J'ai coupé les lacets qui rattachaient les filets au grillage et je suis rentré dans le bassin en me disant que j'allais bien trouver une porte par où on avait fait entrer les dauphins! Il faut savoir qu'il n'y a pas plus de deux mètres de profondeur et que la moitié du bassin est éclairée en permanence par des spots. Les trois dauphins sont tout le temps restés regroupés dans l'autre moitié du bassin, flottant presque inanimés. Je n'entendais que leurs souffles. J'ai été très étonné de leur manque de vie. Ils ne bougeaient pas ! Je ne les ai pas approchés. Je n'étais pas venu pour jouer avec eux ! J'étais pris par le temps et je ne pensais qu'à une chose : trouver une sortie pour qu'ils puissent s'échapper. Je longe le bord du bassin et je tombe sur une porte en aluminium d'environ 1 m 80 sur 1 m 20. Deux fils de fer en haut et en bas servent à la fermer. Je les défais et tente d'ouvrir la porte. Impossible ! Je vais à l'autre bout du bassin et je trouve la même chose. Je me suis alors rendu compte que ce n'était pas des portes mais des trappes pour faire entrer les dauphins dans le bassin. J'ai eu le malheur d'allumer ma lampe et apparemment c'est ça qui m'a fait repérer. Je suis alors reparti par où j'étais entré. Le gardien me suivait en m'insultant et en me jetant des cailloux. Il voulait se battre mais moi je ne pensais qu'à récupérer ma bouteille ! J'y suis finalement parvenu et j'ai remonté ensuite le courant jusqu'au Club."

Manque de chance pour Jean-Michel, un des dauphins meurt le lendemain de son opération de sauvetage. Un deuxième succombe à son tour le surlendemain. L'affaire à rebondissements des dauphins de Moorea prend alors une ampleur internationale.

Elméo et Tiaré décédées, une jeune femelle de cinq ans, Tiani, reste seule prisonnière dans le minuscule bassin-hôpital. Elle mange très peu d'où un état général très affaibli. Argument qu'utilisent ses dresseurs pour ne pas la libérer. Ils attendent la fin de l'enquête pour aller lui chercher de nouveaux compagnons... et satisfairent des inconscients avides d'avoir leur part de "Grand Bleu".

Le 2 mai, la Dolphin Quest capture un jeune Sténo mâle âgé de quatre ans baptisé "Maui". Il se serait blessé en tentant de s'échapper. Aujourd'hui les touristes peuvent s'offrir une ballade aquatique avec les deux dauphins pour 139 F la demi-heure.

Rarement un projet de *swim programs* n'aura déchaîné autant de remous et de passion ! Les autorités locales cautionnent le projet sous le prétexte qu'il est créateur d'emplois. Le public l'approuve sous la condition que les dauphins soient libres de sortir de leur enclos à leur guise. Les tahitiens n'attendent en réalité pas après ce projet pour s'éduquer à propos des dauphins qu'ils croisent régulièrement aux abords de l'île ! Les morts d'Elméo et Tiaré ont quelque peu refroidi leur enthousiasme de départ. La presse locale pour sa part se fait le porte-parole des bons et des méchants et c'est à se demander si elle s'y retrouve elle-même !

Compte tenu de la tournure des événements, la Dolphin Quest s'était empressée en début d'année d'inviter les enfants des écoles de l'île et les touristes du Club Méditerranée à venir rendre visite aux dauphins. Les deux associations locales de protection animale s'y étaient également rendues. La SPA avait décliné l'invitation. Jacky Briant, Président de l'association "Atu Atu Te Natura" de Bora-Bora, et Frère Maxime, Président de la FAPE (*Fédération des Associations de Protection*), sont restés sur leurs positions. Ils ont confirmé leur désir de voir se développer un projet de rencontre en milieu marin avec les dauphins. Dans une interview du 14 février 1994 au quotidien "Les Nouvelles de Tahiti", Jacky Briant déclare :

"Nous sommes opposés à ce type d'approche scientifique qui est avant tout un habillage à d'autres destinations que celles initialement présentées. (...) Nous ne sommes tout de même pas naïfs, nous savons que ces animaux seront uniquement destinés à la curiosité touristique, qu'elle soit étrangère ou locale, avec un autre habillage, celui qui est l'aspect lucratif." Sur la question de la liberté proposée aux dauphins au bout d'une année d'acclimatation et en présence des dresseurs, il rétorque : "La question ne se pose même pas puisque, au départ, les dauphins doivent être en liberté ; cela veut dire que nous avons commis une agression, par rapport à la conscience et à la mémoire de toute l'humanité, qui est de vouloir absolument mettre les animaux en cage."

Qu'attendent les autorités polynésiennes et notre Ministère de l'Environnement pour remédier à l'inconsistance législative qui permet à une société américaine de pratiquer dans nos eaux territoriales des captures en toute impunité?

***

Delphinothérapie.

Le pouvoir thérapeuthique de l'eau est incontestablement reconnu. L'homme y retrouve ses origines et les sensations de sa vie fœtale. C'est naturel qu'il y trouve refuge. Paradoxalement, l'eau fascine autant qu'elle terrorise. Les états et les concepts qu'elle évoque ne manquent pas : légèreté, douceur, appaisement, sérénité, évasion... mais aussi vide et angoisse par la trop grande liberté qu'elle procure. A elle seule, elle permet une seconde naissance lorsqu'on lui voue corps et âme une confiance absolue. Alors pourquoi rajouter le dauphin dans une thérapie où l'homme et l'eau peuvent en toute logique se suffire à eux-mêmes ?

Le dauphin intervient comme vecteur entre l'homme et la mer. Il est utilisé pour rassurer les peureux et amener jusqu'au délire les plus curieux. Pourtant il est prouvé scientifiquement que n'importe quel animal a, autant que l'eau, un pouvoir thérapeuthique sur l'homme. Quel est alors l'intérêt d'imposer à un animal sauvage un rôle qui peut être tenu avec autant de succès par un animal domestique, si ce n'est le rêve de l'enfant et le désespoir des parents habilement mannipulés, toujours par les mêmes esprits mercantiles. Les résultats obtenus après maints espoirs et sacrifices ne sont pourtant pas durables. Est-il bien nécessaire de sacrifier tant de vies pour un unique sourire qui ne durera que quelques secondes ?...

A prix d'or, soit en moyenne 2 500 F pour quatre jours, des psychiatres à nageoires sont mis à la disposition des enfants autistes, mongoliens ou handicapés. Mais aussi des personnes dépressives incapables de comprendre qu'aucun homme ou dauphin ne pourra leur amener sur un plateau la solution à leur mal de vivre et que c'est à elles de prendre en charge leur destin. Dans tous les cas de figure le dauphin n'est qu'un élément parmi tant d'autres contribuant à une éventuelle guérison, mais il ne sera jamais LA solution. D'ailleurs, quel échange peut-il y avoir entre un enfant malade ou un dépressif avec un dauphin qui est lui-même dénaturé et conditionné par la captivité ? Les malades ne pensent pas à l'échange. Ils ne pensent qu'à recevoir, partant du principe que l'animal est à leur entière disposition. Or s'oublier pour donner, n'est-ce pas une des voies qui mènent à la guérison ? La découverte des dauphins dans leur milieu naturel ne serait-elle pas plus profitable à tous ? N'y a-t-il pas plus de vie en haute mer que dans un bassin où la guérison est autant artificielle que les moyens utilisés ? Les propriétaires des delphinariums sont les premiers à reconnaître que “çà ne marche pas toujours” et que les bienfaits de la delphinothérapie ne sont pas prouvés scientifiquement mais reconnus pour n'être qu'éphémères. Un éveil de quelques minutes chèrement payé…

Horace Dobbs, scientifique anglais fondateur de l'International Dolphin Watch, multiplie depuis des années les interactions entre des individus dépressifs et des dauphins solitaires de la Mer du Nord. Là ce sont les dauphins qui décident de venir ou non à la rencontre des hommes et d'établir un contact. L'échange est possible puisque l'animal est ici autant libre que l'homme et qu'il a la possibilité d'utiliser toutes ses capacités naturelles.

L'intérêt d'une thérapie effectuée en mer est que le dauphin est respecté en tant que tel et que sa vie n'est pas mise en danger.

L'homme y est davantage enclin au respect qu'en bassin où on lui fait croire que tout est permis. Malheureusement, Horace Dobbs ne constate lui aussi que des résultats éphémères. Il reconnaît que l'interaction avec un dauphin peut avoir l'effet d'un électrochoc, mais celui-ci ne guérit pas l'individu pour autant car les problèmes de fond demeurent. Pour cette raison, il a créé en novembre 1993 à Kyoto (Japon) le

“Dolphin Healing Center” qui a l’ambition et la particularité de vouloir soigner les maladies neuro-psychologiques par la diffusion de vidéos sur les dauphins.

Horace Dobbs a effectivement constaté que les images de dauphins accompagnées d’un fond musical avaient autant d’impact de guérison que les interactions en mer.

En déchargeant ses maux sur les dauphins, l’homme se déresponsabilise tout en se faisant plaisir. Il charge l’animal de trouver la solution à sa place et se berce d’illusion en s’imaginant que cela va réussir. Ce n’est que reculer pour mieux sauter ! Le dauphin représente dans un premier temps une facilité et un moyen de se fuir soi-même. Dans un second temps, il ne fait que rendre plus apparent le problème qu’il ne pourra, en aucune façon, résoudre. Le dauphin “psychiatre” est certes plus complaisant puisqu’il ne juge pas et va indéniablement dans le sens que veut le malade. Après tout, ne le met-on pas à notre disposition pour qu’il nous fasse plaisir ? Mais ne serait-il pas aussi, lorsqu’il est détenu en captivité, notre propre mirroir ? Ne nous renvoie-t-il pas face à notre égoïsme et notre démence ?

Le commerce du dauphin-docteur ou gourou fait naître beaucoup d’espoirs rapidement contrariés et on peut se demander si cela n’est pas destabilisant pour les malades eux-mêmes. Il sacrifie la souffrance animale à la souffrance humaine à laquelle il n’apporte de surcroît aucune solution. Pas plus que pour se divertir, l’homme n’a éthiquement le droit d’utiliser les dauphins pour se guérir. Comment les générations d’assistés que la société de consommation a engendrées pourront-elles s’ouvrir à cette vérité ?

***

Feeding times et Dolphin watching.

Le Watching déjà en vigueur pour les baleines consiste à aller à la rencontre des cétacés dans leur milieu naturel et à se borner à une observation depuis les bateaux. Ce mode d’approche s’est étendu aux dauphins depuis quelques années. Il est le meilleur palliatif qu’on puisse trouver de la captivité et ne présente que des avantages dès l'instant qu'il reste dans certaines limites d'exploitation commerciale. Il reste un risque de dérapage omniprésent comme en témoigne l'engouement observé à Monkey Mia en Australie où le business de nourrissage des dauphins n'a pas raté l'occasion d'établir son emprise. Là, pas besoin de prendre un bateau pour voir les dauphins. Ce sont eux qui viennent à vous. Simple base scientifique à l'origine, Monkey Mia est en peu de temps devenue un haut lieu de pèlerinage pour les fans de dauphins et autres curieux assoiffés de les toucher. Depuis trente ans, une dizaine des deux cent cinquante dauphins répertoriés par les scientifiques dans les eaux de Shark Bay s'approche quotidiennement du rivage, se laisse caresser par les hommes et, fait exceptionnel, leur offre du poisson. Les touristes affluent par centaines chaque matin et repartent dans leur bus climatisé deux heures plus tard.

Un peu court pour apprendre à connaître un dauphin... Reconnu patrimoine mondial par l'Unesco, Shark Bay ne fait pas particulièrement l'objet d'une protection spécifique. En revanche un service d'ordre très serré a dû être établi à Monkey Mia suite à un certain nombre d'incidents. Des touristes n'avaient pas hésité à éteindre leur cigarette dans l'évent des dauphins ou à y verser de la bière ! Des panneaux d'information incontournables indiquent à l'entrée de la plage la conduite à tenir. Combien les lisent ? Les dauphins fuient parfois plusieurs jours les touristes qui, entre Noël et le Nouvel An, débarquent par paquets de sept cents personnes par jour ! Les "*feeding times*" consistant à "nourrir" les dauphins y sont de rigueur. Cette mode a pour effet d'exciter encore plus les touristes et de faire fuir les dauphins qui n'attendent pas après eux pour se rassasier. La relation, qui était à l'origine exceptionnelle de qualité, est alors complètement dénaturée, rappelant l'ambiance des delphinariums... Bientôt les consommateurs de dauphins n'auront peut-être plus personne à qui offrir leur poisson... Car à Monkey Mia les dauphins ne sont pas dépendants de l'homme, contrairement à ce qu'on pourrait le supposer. Ils n'hésiteront pas à quitter définitivement les lieux pour fuir la démesure humaine. Il sera alors trop tard pour réaliser l'opportunité gâchée, que la nature nous offrait d'établir un échange spontané et libre avec ces êtres d'exception. N'y a-t-il donc rien de beau que l'homme sache respecter ?

Le *dolphin watching*, exception faite de Monkey Mia, n'offre pas de possibilité de contact corporel avec les dauphins et c'est une des raisons pour lesquelles il s'est commercialement vu supplanté par les *swim programs*. Il n'existe pourtant pas de procédé éducatif plus adéquat que celui-là pour observer le comportement des mammifères marins dans leur milieu naturel. Il ne cause aucun préjudice moral ou physique à l'animal qui peut se montrer sous son vrai jour. Les delphinariums ne peuvent pas rivaliser sur ce terrain et leurs propriétaires ne le savent que trop ! En mer chacun est à sa place et les règles d'éthique sont respectées. Mais il faut rester vigilant ! L'afflux répété d'un trop grand nombre de bateaux touristiques risque de mettre en péril la vie des cétacés.

Il ne faut pas que leur rythme de vie soit perturbé et qu'ils ne puissent plus s'ébattre, jouer et chasser sans être interrompus par l'homme. L'observation deviendrait alors persécution et c'est un écueil qu'il faut à tout prix éviter. Le Whale Watching fait déjà les frais d'un trop grand engouement. Les baleines désertent dorénavant les lagunes de la Basse-Californie mexicaine où elles avaient coutume de venir se reproduire entre les mois de novembre et avril. Les centaines de touristes accourant à leur rencontre pour les observer moyennant 20 $ n'ont pas manqué de contrarier la liberté de leurs ébats amoureux.

Il ne s'agit pas de combattre la captivité d'un côté et de transposer le mal ailleurs. Pourtant, de plus en plus de programmes de nourrissage de groupes de dauphins sauvages sont proposés à travers le monde. Des touristes crédules partent sur des bateaux de pêche lancer au large des côtes du poisson aux dauphins ! Hormis lorsqu'ils sont détenus en captivité, les mammifères marins n'acceptent aucune nourriture de l'homme. Seule la curiosité les incite à se rapprocher des bateaux, mais elle peut leur coûter cher par la faute de cette nouvelle lubie humaine. Quelle différence fera un dauphin entre un appareil photo et le fusil de certains pêcheurs ?

D'un point de vue général, l'animal n'a rien à gagner pour sa survie à fréquenter l'homme trop souvent et de trop près.

***

Quoi qu'il en soit le *dolphin business* a encore de beaux jours devant lui ! Certains delphinariums ont développé en parallèle de leurs spectacles des centres de secours d'animaux échoués, blessés, et participent à des projets de création de sanctuaires marins. Avec les dégâts causés par la pollution et les filets dérivants, ils auraient de quoi s'occuper à temps complet s'ils daignaient s'investir à fond dans cette activité. Or ils ne recherchent qu'un alibi pour redorer leur image et faire oublier certaines de leurs activités moins honorables. S'ils étaient réellement soucieux de préserver les mammifères marins comme ils aiment s'en vanter ouvertement, ils ne mèneraient pas de front deux activités aussi contradictoires. A moins que les sauvetages ne leur servent de prétexte pour s'approvisionner au passage... Le public sera-t-il dupe encore longtemps ?

Comment peut-on à ce point s'amuser à voir un animal humilié ? Nous sommes une société de spectateurs qui rendons le sacrifice de millions de cétacés inutile. La captivité sous toutes ses formes, la pollution et les filets dérivants sont des problèmes indubitablement liés les uns aux autres. Tous ces dangers sont nés de l'homme et menacent de concert l'avenir des mammifères marins.

Comment peut-on espérer résoudre les massacres que nous perpétrons en mer quand nous continuons d'emprisonner des animaux innocents pour notre plaisir ? Le respect de l'animal commence par le respect des règles d'éthique que l'homme lui-même a érigées. Le matérialisme participe au rabaissement de l'animal et guide nos désirs vers un bonheur égoïste. Il nous faut en toute hâte élargir nos consciences au niveau de l'ensemble du Monde, cesser d'idéaliser les dauphins, d'en faire des gourous, des dieux, des êtres surnaturels quand ils ne sont qu'eux-mêmes.

En les sauvant, ce sont les enfants de demain que nous sauverons.

CHAPITRE 7

Oublier l'homme

La réhabilitation est un mot tabou dans le milieu du *dolphin business*. Les propriétaires de delphinariums renient publiquement tant ils le redoutent cet acte qui représente la pire menace pour la poursuite de leurs activités mercantiles. Car la liberté ne paie pas. Elle rapporte au plus un peu de notoriété quand il s'agit de porter secours à un animal échoué ou blessé. Mais les empêcheurs de tourner en rond dont je suis se font chaque jour plus nombreux et témoignent, par les gouttes d'eau qu'ils répandent, du virage que la Vie a choisi d'opérer en cette fin de siècle.

La réhabilitation rappelle par les symboles que sont les dauphins qu'elle ramène à la liberté que l'homme est capable du meilleur comme du pire. Libre à vous de choisir de quel côté vous préférez agir. Libre à vous, aussi, de ne pas agir du tout, de n'être qu'un spectateur du désastre à venir et que l'humanité laissera en héritage aux générations à venir. Mais dans ce cas, ne dites pas un mot.

La critique est facile depuis un confortable fauteuil, mais n'est-elle pas alors déplacée ?...

Par leurs comportements les animaux ont tenté pendant des siècles de nous apprendre l'harmonie avec notre environnement. Nous leur avons fait cher payer leur "arrogance" à l'égard du Maître de tous lieux. Aujourd'hui notre dette est lourde de culpabilité, de remords et d'impuissance. Mais c'est au présent qu'il faut conjuguer le verbe "vivre", non au passé que l'on ne modifiera plus ni au futur qui nous échappe encore.

La réhabilitation des animaux captifs dans leur milieu naturel ne doit pas être conçue comme un moyen de racheter nos erreurs, mais comme celui de ne plus les reproduire. Une opportunité pour l'homme d'apprendre à renoncer à son ego et à se réinsérer dans la Vie qu'il a fuie. Un chemin d'humilité où chaque pas en avant rapproche de l'amour inconditionnel qui lui fera retrouver avec dignité sa vraie place dans l'Univers. En se faisant serviteur des Grandes Lois, l'homme se place en position de recevoir en abondance ce qu'il a toujours convoité et arraché par l'usage de la violence.

En captivité une vie ne compte qu'en terme de dollars. Un dauphin captif est assuré de laisser échapper son dernier souffle dans son mouroir en béton. Qu'importe, il sera aussitôt remplacé.

Le temps c'est de l'argent et la seule chose qu'on lui demande, c'est d'être rentable ! C'est pourtant faire un bien mauvais calcul. Les delphinariums auraient tout à gagner à se reconvertir.

Ils remporteraient haut la main l'adhésion d'un public de plus en plus soucieux de la préservation de la Nature. La reconversion des trafiquants est plus utopique. La question est de savoir quel degré d'honnêteté il est possible d'attendre d'un esprit voué corps et âme au mensonge et à la cupidité.

Les propriétaires de delphinariums déclarent à qui veut encore l'entendre que la réhabilitation est un acte cruel vouant les dauphins à une mort certaine. Ils n'hésitent pas à faire courir de fausses rumeurs d'échec concernant les projets qui ont déjà été menés avec succès. Un dresseur est même allé jusqu'à me montrer une photo d'un dauphin mourant en tentant de me faire croire qu'il s'agissait de Rocky ! Qu'il se rassure, ce dauphin n'a jamais été aussi vivant que depuis qu'il a renoué avec la liberté dans les eaux des Caraïbes, grâce à l'opération "Into The Blue" de 1991.

Les delphinariums à court d'arguments valables tentent de noyer le poisson en invoquant des problèmes parallèles tels que la pollution et les filets dérivants, quand en réalité la captivité est essentiellement une question d'éthique.

Notre société hypocrite crie au gaspillage d'argent lorsqu'il s'agit de libérer des mammifères marins esclaves de son irresponsabilité et de ses rires égoïstes. Elle refuse de voir ce qu'elle ne sait que trop. A savoir, qu'elle est à l'origine de ce "gaspillage". Lorsqu'elle se rend dans les delphinariums, elle donne aux trafiquants une bonne raison de poursuivre leurs activités pour la divertir. C'est son irresponsabilité qui contraint parallèlement une minorité à se rassembler pour tenter de réparer ses erreurs. N'est-il alors pas logique qu'elle contribue financièrement à libérer ceux dont elle a encouragé la capture ?

Les animaux qui ont eu jusqu'à présent la chance de retrouver l'océan ne sont encore que des symboles tant ils sont peu nombreux. Ils sont l'espoir de milliers d'autres qui attendent leur tour. Ils sont aussi la chance pour les générations futures de renouer avec l'harmonie et la paix originelles de ce monde. L'opportunité pour l'humanité de prendre le bon virage et de redémarrer sur de meilleures bases.

A bien y réfléchir, n'est-il pas plus facile pour un dauphin de réapprendre à utiliser son sonar pour attraper un poisson vivant que d'apprendre à sauter dans un cerceau en reniant de force son identité et ses instincts naturels ?

***

Le premier projet "professionnel" de réhabilitation de dauphins voit le jour en 1987 aux Etats-Unis. Organisé par l'ORCA (*Oceanic Research Communication Alliance*), le projet permet aujourd'hui aux deux *tursiops* Jœ et Rosie de laisser éclater leur joie de vivre naturelle dans les Caraïbes. Il a été précédé de nombreux autres sauvetages spontanés qui n'ont pas tous réussi faute d'avoir été préparés, réalisés, poursuivis au-delà de la libération, de manière sérieuse voire "professionnelle". Car il ne suffit pas d'ouvrir la porte pour que le dauphin sorte ! Il ne faut pas perdre de vue que l'environnement dicte le comportement, pour l'animal comme pour l'homme. Capturé bébé, dénaturé, conditionné, dépressif, habitué à évoluer dans un cadre étroit, dépendant de l'homme pour sa nourriture, le dauphin a perdu tous ses repères par rapport à son environnement ainsi que l'usage de ses capacités naturelles. La mer est devenue pour lui synonyme d'insécurité donc de danger. On peut avec raison assimiler les pathologies et les difficultés de réinsertion d'un dauphin captif aux problèmes rencontrés par un homme ayant été incarcéré plusieurs années. A la grande différence que l'animal, lui, est innocent !

Un programme "professionnel" de réhabilitation s'étend sur plusieurs mois. Il consiste à faire disparaître tout réflexe conditionné issu de la captivité et à permettre à l'animal de refonctionner instinctivement. Il lui apprend avant tout et surtout, à oublier l'homme !

Dans un premier temps les dauphins se redécouvrent eux-mêmes ainsi que leur environnement d'origine. N'ayant plus émis aucun son au fil des années de captivité, ils réapprennent à utiliser leur sonar, retrouvent confiance par rapport aux différents éléments que sont l'eau naturelle, les courants, les sons marins, les marées, la flore, la faune etc... Très vite le schéma exercice-récompense est brisé et les dauphins apprennent à ne plus mériter leur nourriture, qu'ils reçoivent lorsqu'ils sont inactifs ! A ce titre ils font l'objet d'un "désintérêt" qui cesse par ailleurs très vite de les perturber. Le poisson vivant, avec lequel les dauphins ont le triste réflexe de jouer en début de réhabilitation, remplace progressivement la nourriture congelée.

Redécouvrant l'usage de leur sonar, ils ont du mal au début à l'attraper. En milieu de programme c'est le poisson mort qui devient source d'amusement... Les poissons sont par ailleurs envoyés le plus discrètement possible pour supprimer la relation que la captivité a établi dans l'esprit de l'animal entre la main de l'homme et sa nourriture. De son autonomie dépend sa survie en mer. Le contact humain est ramené au minimum.

En parallèle les dauphins retrouvent leur condition physique d'origine, ayant cette fois l'espace pour l'éprouver, et démontrent un comportement social et affectif. Le jeu, source d'équilibre, a la primeur dans le déroulement de la journée.

La réhabilitation a pour but de rendre les dauphins définitivement libres. Sous trois conditions : qu'ils soient en parfaite santé, qu'ils sachent utiliser à 100 % leur sonar, qu'ils soient capables d'attraper du poisson vivant. Etant un animal grégaire, un dauphin n'est jamais relâché seul afin qu'il bénéficie du maximum de sécurité en attendant d'avoir l'opportunité de se réinsérer dans un groupe, ou, dans la négative, qu'il puisse créer son propre groupe. L'idéal est, bien entendu, de pouvoir relâcher l'animal dans ses eaux d'origine et sur le lieu même de sa capture, pour lui donner la chance de retrouver sa famille, si elle n'a pas été totalement détruite pendant celle-ci. Lorsque cette zone demeure un lieu de prédilection pour les trafiquants, le choix doit se porter sur un lieu similaire où le dauphin sera assuré de trouver la même nourriture et de rencontrer des congénères. Un paramètre jugé important par les scientifiques qui soulignent que certaines maladies sont propres à chaque espèce et que le non-respect de cette constatation pourrait avoir de graves répercussions quant à la survie des dauphins. Mais peut-être pas autant que la pollution et la raréfaction de nourriture en raison des prélèvements industriels...

La réhabilitation est un grand travail de patience qui exige dès le départ que les dauphins soient transférés dans un site naturel afin d'éliminer les premiers problèmes liés au chlore, tant au niveau de la peau que de la vue. D'où la contrainte, et pas la moindre, de trouver un espace de préférence privé, éloigné le plus possible de la civilisation, fréquenté régulièrement par des groupes de dauphins sauvages, disposant de facilités d'accès par air et mer pour le transport des animaux, bénéficiant d'une grande variété et abondance de poissons etc... Autant de paramètres difficiles à rassembler, mais incontournables pour assurer le succès de l'opération. Les propositions honnêtes sont rares.

Celles visant à instaurer un véritable commerce au dépend de la libération définitive des dauphins sont "mystérieusement" plus nombreuses !... La cupidité est omniprésente. Le transport des animaux hors de leur lieu de détention est toujours un moment chargé de tension tant du côté des hommes surveillant la moindre défaillance, que de celui des dauphins auxquels il rappelle le douloureux instant de leur capture en raison des moyens utilisés. Filet, camisole, container, et longues heures de transport en avion sont malheureusement incontournables et font ressurgir dans leur esprit une douleur autant psychologique que physique qui ne s'effacera jamais complètement.

Leur sensibilité exacerbée et leur intuition permettent aux dauphins de comprendre que cette fois l'ambiance est toute autre sur le chemin du retour à la liberté. Les hommes chargés d'espoir et d'amour qui les entourent, les soins et l'attention qu'ils leur prodiguent ont toujours permis aux dauphins d'arriver sans problème à destination.

Ces projets sont trop rares pour s'autoriser le moindre échec. Une telle fatalité annihilerait toute crédibilité à l'égard d'une majorité sociale réfractaire. Elle condamnerait tout projet futur et ne manquerait pas d'alimenter le discours des trafiquants rendus amers par le succès des programmes déjà réalisés. La sécurité dont s'entoure une opération de réhabilitation s'étend jusqu'à la mise en place d'une période de surveillance post-libération de plusieurs mois. Avant de libérer les dauphins on prend soin d'apposer de chaque côté de leur nageoire dorsale, par un système réfrigérant totalement indolore, un sigle personnalisé qui permettra à l'équipe de suivre leur évolution, ainsi qu'aux pêcheurs de témoigner de leur survie. Un moyen également de pouvoir intervenir dans l'éventualité, qui ne s'est d'ailleurs jamais présentée, où la réintégration se passerait mal. Il est évident que tout dauphin désireux de rester au site de réhabilitation serait assuré de pouvoir y finir ses jours.

***

Jœ et Rosie ont été capturés en 1980 dans les eaux du Golfe du Mexique pour servir un projet expérimental de communication homme-dauphin. Sept ans plus tard les résultats escomptés se font toujours attendre et les recherches sont arrêtées. Les dauphins sont transférés dans un parc d'attraction de Key Largo.

En 1987, Ric O'Barry participe pour une large part au projet pilote qui vise à rendre Jœ et Rosie à l'océan. Un an de préparation sera nécessaire pour que l'équipe de scientifiques puisse doter l'opération du maximum de chances de réussite. Une étude des populations de dauphins résidant dans l'ère de réhabilitation est menée ainsi qu'un recensement des espèces de poissons indigènes de cette zone. Depuis leur capture, les dauphins n'ont plus entendu le plus infime son marin. Pour leur éviter d'être trop désorientés, et afin de devancer toute panique éventuelle, il est procédé, durant plusieurs jours, à l'enregistrement des sons sous-marins pendant vingt-quatre heures consécutives. Cet enregistrement leur est diffusé avant qu'ils ne soient transférés dans une réserve privée sur la côte de Géorgie où ils ont été prélevés et seront relâchés. Ric O'Barry entame à Grassy Key un "dressage" prenant le contre-pied de celui que Jœ et Rosie ont subi en captivité la présence humaine est très peu tolérée autour des dauphins.

Dès l'instant où ils trouveront le courage de donner leurs premiers coups de nageoires dans l'océan, Jœ et Rosie seront régulièrement observés par des pêcheurs et des scientifiques, accompagnés d'autres dauphins et de deux bébés dont l'un né de leur union.

Tous les dauphins actuellement détenus en captivité ne sont pas candidats à être définitivement libérés, même après un programme de réhabilitation. Certains d'entre eux sont trop âgés ou trop diminués physiquement et psychologiquement, d'autres survivent depuis trop longtemps dans des bassins souterrains pour pouvoir dépasser le choc d'une liberté totale. Les dauphins nés en captivité n'ayant plus leur mère et reclus depuis trop longtemps, rencontreront également de sérieuses difficultés à s'adapter à un environnement qu'ils ne connaissent absolument pas. Pour ces dauphins il existe malgré tout une solution qui leur permettrait de finir leurs jours de manière plus paisible qu'en delphinarium.

Elle consiste dans la création de réserves naturelles au vrai sens du terme, et dans lesquelles ils pourraient être réhabilités au même titre que les autres dauphins sans pour autant franchir la dernière barrière.

Avec le succès du projet ORCA les dés étaient jetés. D'autres opérations toutes aussi minutieusement préparées allaient suivre.

***

En 1991, la réserve des Turks & Caïcos basée dans les Caraïbes a accueilli trois dauphins en provenance d'Angleterre et contribué ainsi au succès du projet "Into The Blue". Pride, Zoo Check et la Fondation Bellerive supervisent le projet baptisé "Into The Blue".

Pride est une Fondation dont le but est la protection des récifs de corail et des îles de la dégradation et de l'exploitation. Créée en 1984 par l'ingénieur marin Chuck Hesse, elle gère, aux îles Turks et Caïcos, une immense réserve de trente-deux hectares basée à quatre cents miles au sud-est des Bahamas, à l'extrémité orientale de l'île Providence très peu peuplée. La partie consacrée aux dauphins est située à cinq cents mètres du rivage pour éviter tout contact humain, excepté celui des scientifiques et vétérinaires.

Le projet reçoit rapidement le soutien de nombreuses autres associations. Le public anglais saisit l'occasion qui lui est offerte d'exprimer sa désapprobation à l'encontre de la captivité et apporte son aide financière par le biais des médias.

Rocky, un *tursiops* âgé de vingt-trois ans, est le premier candidat choisi en raison de la fermeture imminente du Morecambe Marineland où il est détenu depuis l'âge... de deux ans ! Un record en matière de longévité rarement égalé ! Capturé en 1971 dans les eaux américaines de Floride, il languit seul dans son bassin vétuste depuis quatre longues années. Sa compagne Lady est décédée d'une intoxication alors qu'elle était enceinte.

Le 4 novembre 1990, Zoo Check lance un appel public de rassemblement de fonds par l'intermédiaire de l'hebdomadaire anglais “The Mail on Sunday”. Les retombées ne se font pas attendre. Des dons de sponsors et célébrités viennent s’ajouter aux 400 000 $ récoltés du public. Pendant ce temps une partie de bras de fer s’entame avec l’Industrie pour obtenir le départ effectif de Rocky du delphinarium. Papiers officiels non délivrés à temps, transfert clandestin du dauphin au delphinarium de Flamingo Land, refus de son propriétaire de collaborer en raison de la pression industrielle qu’il subit… sont autant d’obstacles auxquels le groupe est confronté sans relâche avant de pouvoir en définitive obtenir Rocky et l’envoyer dans les Caraïbes.

L’industrie, dans son animosité, évoque de façon très typique le mauvais état de santé du dauphin. Les vétérinaires extérieurs au delphinarium constateront pour leur part que son état ne présente aucune contre-indication à son départ. Le 13 janvier 1991, après sept semaines de pourparlers houleux, Rocky rejoint les Turks et Caïcos. Un espace lui a été aménagé dans un 747 de la British Airways. Il endure les douze heures de vol sans manifester le moindre signe inquiétant, bien au contraire ! Il accepte même de se nourrir. Sa peau a été recouverte de vaseline et son caisson rempli d’eau. Sa pression sanguine, sa température, son rythme respiratoire et cardiaque sont contrôlés sans relâche par l’équipe de vétérinaires. Il arrive en parfaite santé à la réserve et laisse aussitôt exploser sa joie. Il ne montre aucun signe de désorientation. Lui qui n’émettait plus aucun son dans son bassin enchaîne sans interruption clics et sifflements. En deux mois il s’adapte à son environnement. Sa nageoire dorsale atrophiée retrouve peu à peu sa tonicité et se redresse.

En mars 1991, Rocky est rejoint par Missie et Silver capturés en 1969. Les deux *tursiops* de vingt-deux et quinze ans sont prisonniers d’un bassin souterrain de Brighton depuis respectivement douze et dix ans. Missie aura eu six bébés. Deux sont mort-nés, deux autres ne survivent pas plus d’un mois, Souki meurt à l’âge de trois ans et le dernier, Minnie, ne vit que cinq mois. Le mâle Silver a été capturé à Taïwan en 1978. Gordon Panitzke, qui avait participé en 1969 à la capture de Missie (dénommée “Baby” tellement elle était jeune) près du Delta du Mississipi, s’investit dans le projet et ce faisant met un terme à son cauchemar, selon ses termes. Ex-dresseur, il n’hésite pas à témoigner, comme Ric O’Barry, des humiliations et privations subies par les dauphins pour que le show soit exécuté ! Les dauphins totalisent à eux trois soixante années de captivité ! En choisissant de supprimer le show des dauphins de son programme éducatif, le “Sea Life Center”, nouveau propriétaire du delphinarium de Brighton, mettait un terme aux souffrances de Missie et Silver.

Ils passent quatre jours en observation dans le bassin-hôpital mobile. Rocky communique à tout va avec ses nouveaux compagnons et démontre de l’empressement à les voir le rejoindre. Il suit tous les faits et gestes des vétérinaires. Des examens de sang et des frottis dans les évents sont pratiqués sur Missie et Silver avant de les lâcher dans la réserve. Une dernière dose d’antibiotique leur est injectée à titre préventif et un antiseptique mis sur leurs écorchures. L’examen médical final étant concluant, ils rejoignent Rocky pour une dernière étape de quatre mois avant leur libération définitive le 6 septembre 1991.

La Fondation Bellerive a récemment fait remarquer que plus de trente observations, appuyées par des documents, avaient été relevées depuis leur remise en liberté. Rocky et Missie se sont séparément intégrés dans de grands groupes de dauphins de la région. Silver a été aperçu à un moment donné sur le territoire du dauphin solitaire Jojo.

***

Le 17 janvier 1993, la WSPA (World Society for the Protection of Animals) et Ric O’Barry organisent la libération du dernier dauphin détenu en captivité au Brésil. Flipper est un *tursiops truncatus* d’environ dix ans, capturé bébé dans la baie de Santa Catarina en 1984. En 1991 il a été tout simplement abandonné dans son bassin du parc d’attraction de Sao Vincente près de Sao Paolo.

Flipper ne survit qu'avec les poissons que les habitants daignent lui apporter.

A son arrivée en novembre 1993, Ric instaure un climat de confiance avec Flipper et commence le travail de réhabilitation. Pendant ce temps les formalités pour transférer le dauphin dans un site naturel sont entamées non sans mal avec le gouvernement. Une équipe se rend à Laguna, à 400 miles de Santos et d'où est originaire Flipper, pour construire l'enclos destiné à l'accueillir. Là, elle rencontre certains pêcheurs se rappelant la capture du dauphins et confirmant que sa mère baptisée Riscadeira est toujours vivante ! Information très excitante pour l'équipe mais peu surprenante lorsqu'on sait que dans ce petit village près de Ponta da Barra, les pêcheurs ont l'habitude de capturer le mulet local avec l'aide du même groupe de dauphins, et leur ont tous attribué un nom. L'équipe rejointe par Ric recueille auprès des scientifiques de l'Institut d'Etude des Mammifères Marins de Florianopolis le maximum d'informations sur les habitudes du groupe de Flipper : nombre, comportement, habitudes alimentaires etc... pour faciliter sa réinsertion. L'équipe porte son choix sur un site proche du village pour réhabiliter Flipper.

L'eau y est profonde, claire et quotidiennement fréquentée par les groupes de dauphins locaux dont sa famille. L'infrastructure est mise en place, quelques locaux mobilisés et le contact établi avec les autorités locales.

Lorsque Ric retourne à Santos il découvre l'horreur. Les dernières semaines le système de filtration d'eau du bassin de seulement dix mètres de large et cinq de profondeur, est tombé en panne. Le propriétaire du delphinarium se refuse à procéder aux réparations, n'en n'ayant pas les moyens et tentant surtout de contrarier le projet. Deux officiers de police sont présents jour et nuit à l'entrée du delphinarium pour veiller sur Flipper. Le risque d'infection croît de jour en jour, mettant la vie du dauphin en danger. Son état de santé se détériore rapidement et fait craindre le pire. Flipper n'émet aucun son. En raison de l'absence de coin d'ombre sa peau est brûlée. Il se laisse péniblement flotter à la surface d'une eau de 30° le jour, refroidissant considérablement la nuit, au milieu de ses excréments et de son urine. Le fond du bassin n'a pas été nettoyé depuis des années. Même le chlore versé en trop grande quantité ne parvient plus à donner l'illusion d'une eau claire. C'est un miracle que Flipper soit encore vivant ! Mais dans quelles conditions. Il souffre d'une infection chronique des yeux qui le contraint à les fermer continuellement, ses muscles sont atrophiés en raison du manque d'espace et sa nageoire pectorale gauche est abîmée pour avoir été déboîtée pendant sa capture.

Il paraît évident que la réhabilitation ne peut plus se poursuivre dans de telles conditions de délabrement et d'insalubrité. Le 4 janvier les vétérinaires confirment la gravité de l'état de santé du dauphin malgré les vitamines qui lui sont données quotidiennement.

Après autorisation officielle, Flipper est transporté le 17 janvier par hélicoptère jusqu'au site de réhabilitation à sept cents kilomètres au sud de Santos. Après les premiers instants de désorientation il s'empresse d'avaler trois kilos de poissons. Sa peau retrouve son éclat les jours suivants, ses yeux s'ouvrent de nouveau et les premiers sons d'écholocation se font entendre. Une semaine plus tard il ne se nourrit plus que de poisson vivant et ne sort presque plus la tête hors de l'eau, comme ont l'habitude de le faire les dauphins en captivité en raison du dressage. Pendant quatre semaines il reçoit la compagnie d'un pingouin de Patagonie recueilli très affaibli. Une compétition dans la chasse au poisson s'instaure et facilite grandement le travail de réhabilitation. Comme l'équipe l'espérait, Flipper reçoit aussi des visites régulières de son groupe d'origine et de sa mère, accompagnée d'un jeune dauphin et d'un bébé. De plus en plus il pousse le grillage avec son rostre pour pouvoir les rejoindre.

Après un ultime examen vétérinaire confirmant que Flipper a retrouvé un parfait état physique et l'usage de son sonar, Ric coupe le matin du 2 mars le filet qui sépare le dauphin miraculé de la liberté. Les médias et des centaines de personnes embarquées sur des bateaux, ou entassées sur la plage, assistent à l'événement. Flipper choisit de partir.

En milieu de journée il est aperçu en compagnie de cinq dauphins et les jours suivants en compagnie d'une femelle. Deux semaines plus tard il est vu par des pêcheurs et surfeurs à quarante-cinq kilomètres au nord de Laguna à Ferrugem Beach. Après le passage d'un violent ouragan il est filmé par la télévision encore plus au nord, démontrant cette fois des signes inquiétants d'épuisement et des éraflures.

Avec le concours de la police locale pour isoler Flipper de la foule, Ric, accompagné d'un des vétérinaires du projet, se rend sur place et lui donne du poisson contenant des vitamines, du glucose et de l'eau minérale. Le dauphin récupère vite de son combat contre l'ouragan et repart à l'aventure. L'équipe de réhabilitation se mobilise et suit le dauphin de près, informant et éduquant les populations locales sur la conduite à observer. Le 19 avril il est aperçu en compagnie d'autres dauphins à cent quatre-vingts kilomètres de Laguna. Au fil des mois les témoignages ne cesseront d'affluer, confirmant le total succès de l'opération. En avril 1995 je visionnerai en Floride une vidéo tout juste réalisée par un pêcheur brésilien, montrant Flipper libre et heureux.

***

Le 30 novembre 1994, après de longues négociations et deux voyages infructueux, Ric regagne le sanctuaire marin de Sugarloaf en Floride avec, sous sa protection, trois dauphins de la US Navy, au lieu de cinq comme il avait été prévu. Après avoir prétexté précédemment une défection de l'avion destiné à transporter les dauphins, la Navy tient par là à prouver que le "pouvoir" est encore dans son camp. Seul point vraiment positif : les dauphins bénéficient pour leur transport en Floride d'équipements de pointe destinés aux plus grands brûlés. Ils viennent de passer cinq années en captivité dans la base de San Diego en Californie, parqués dans des enclos individuels de quinze mètres carrés. Buck, Luther et Jake vont maintenant suivre un programme double de désintoxication militaire et de réhabilitation. Agés respectivement de treize, quinze et seize ans, ils ont été capturés bébés dans les eaux du Mississipi et utilisés par l'armée américaine pendant la guerre froide avec l'URSS. Ils ont été dressés avec une centaine d'autres dauphins à surveiller les installations navales, à récupérer des objets perdus en mer et à tuer des plongeurs ennemis avec une aiguille de CO_2 fixée sur leur rostre. Répertoriés sous le qualificatif "Advanced Marine Biological Systems", le traumatisme qu'ils ont subi toutes ces années sera difficile à effacer totalement. Les rapports officiels retraçant leur enfer quotidien sont bien entendu inaccessibles.

Depuis 1994 la US Navy ne peut plus faire face au coût d'entretien et de dressage de ses soldats d'élite et tente de les brader aux delphinariums. Or très peu se sont laissés séduire compte tenu de l'agressivité et des troubles de comportement qu'affichent les animaux pour avoir été quotidiennement persécutés. L'accord de la US Navy de céder trois dauphins à Ric répond davantage à un souci de redorer son blason à l'égard du public qui l'a mise au banc des accusés que parce qu'elle est convaincue du bien-fondé d'un programme qui menace les intérêts du gouvernement américain et de l'industrie internationale qui fait pression.

Nombreux sont ceux qui tentent de déceler la moindre faille au projet. Sur la vie même des dauphins pèse une menace quotidienne qui oblige à une surveillance de tous les instants. C'est une des raisons pour lesquelles Ric va jusqu'à "planter" sa tente sur le ponton, leur assurant ainsi le maximum de sécurité. Le fait que Buck, Luther et Jake proviennent de l'armée rend les choses plus délicates à gérer comparé aux programmes précédents.

Le sanctuaire de Sugarloaf en Floride est un lagon privé débouchant sur une baie de cinq cents hectares et bénéficiant d'une aire d'atterrissage privée. Il a été aménagé en juillet 1994 par son directeur Lloyd Good III pour accueillir le 10 août suivant Bogie et Bacall âgées de dix ans, ainsi que Molly âgée de trente-six ans. Après deux ans de négociations le "Dolphin Project" a réussi à extirper les trois dauphines de l'"Ocean Reef Club Resort", club privé de Key Largo. Bogie et Bacall ont été capturées dans l'Indian River à l'est de la

Floride en février 1988. Molly a été capturée en 1969 à Pine Island, toujours en Floride. Beaucoup s'opposent à la voir relâchée en raison de son âge avancé. Motif repris par de nombreuses personnes n'ayant pas pris la peine de se rendre sur place, et bien entendu par le gouvernement, n'ayant en juin 1995 toujours pas délivré les permis pour libérer Bogie et Bacall. En réalité Molly est la dauphine qui s'est le plus rapidement réadaptée et qui a démontré le plus d'autonomie. Véritable leader du groupe, il serait risqué de séparer les trois dauphines excessivement solidaires les unes des autres, un dernier point qui concourt pour beaucoup à leur équilibre psychologique et à leur chance de survie en liberté.

Lorsque les dauphins de la US Navy arrivent à Sugarloaf, Bogie, Bacall et Molly évoluent dans la partie du lagon la plus retirée du contact humain. Seul un grillage les sépare de la liberté qu'elles se montrent plus impatientes que jamais de retrouver.

"Quand la réhabilitation dure plus de temps qu'il n'est nécessaire pour des raisons purement mercantiles, elle devient à son tour de la captivité" me fera tristement remarquer Ric. "Pour les dauphins nous devenons alors nous-mêmes de gentils ennemis !"

Buck, Luther et Jake récupèrent très vite l'usage de leur sonar ; ceci est confirmé par un hydrophone placé en permanence sous l'eau. La colère qu'ils ont intériorisée pendant tant d'années donne parfois lieu à des parties de jeux un peu rudes qui obligent à les séparer quelques jours, à un refus alors de se nourrir et de coopérer avec ceux qui ne leur veulent que du bien. Ces états d'âmes bien compréhensibles ne durent jamais longtemps et le fait qu'ils extériorisent leur douleur est important. Leur manque affectif est d'autant plus grand que les dauphins sont tous à maturité sexuelle. Les mâles vivent mal le fait d'être séparés des dauphines qui sont à un stade supérieur de leur réhabilitation, d'où l'impossibilité de les réunir avant plusieurs mois.

A Sugarloaf Buck, Luther et Jake apprennent par ailleurs que l'homme n'est pas forcément mauvais et qu'une complicité est possible, même si en parallèle le contact humain est réduit au strict minimum. Ils découvrent des rapports pacifiques qui contribuent à faire disparaître leur agressivité. Mais leur comportement est très contradictoire dans la mesure où ils recherchent les premiers mois un contact affectif mais ne peuvent à cette occasion s'empêcher de mordre. J'en ferai les frais au même titre que le restant de l'équipe. Lorsqu'on sait que le dauphin est l'animal le plus pacifique qui soit, il est triste de voir à quel point des années d'humiliations et de privations générées par l'homme peuvent occasionner une telle distorsion de comportement. Qu'avons-nous fait à nos "amis" ? Ric me confirmera avoir observé cette agressivité chez beaucoup de dauphins captifs.

Au sanctuaire arrive en avril, de Californie, une personne dont la générosité et la fraternité sont en parfaite harmonie avec les dauphins.

Au rythme de son tambour et de ses chants indiens, Sharman imprègne le lagon de vibrations auxquelles les six dauphins répondent en affichant un calme instantané. La philosophie des Shoshones, indiens d'Amérique du Nord, prônant la communion avec la Nature prend à Sugarloaf toute sa dimension dans la plus grande simplicité. On est loin des débordements New Age qui coûtent si cher aux dauphins qu'ils ont transformés en gourous.

Sharman me prêtera son tambour autant de fois que j'en exprimerai le désir, et peut-être aussi le besoin. Je m'octroierai alors de longues heures assise sur le ponton, seule au milieu des dauphins, des arbres et des pélicans, savourant cette paix qui émane de mon instrument et cette chance qui m'est donnée de ne faire qu'un avec la Nature.

Six mois après leur arrivée, Buck, Luther et Jake répondent aux conditions requises pour être libérés.

La présence des dauphines est devenue très onéreuse. En quelques mois le budget est passé de 125 000 F à 500 000 F ! Le budget des trois autres dauphins est en bonne voie de l'égaler. Le support des groupes de protection animale, les donations privées, ventes de reportages aux médias, vente de tee-shirts etc... suffisent à peine à assurer le quotidien pour les six dauphins. Tant et si bien que l'équipe est obligée d'alterner le poisson vivant avec du poisson congelé auquel elle est contrainte d'ajouter des vitamines dont de la spiruline. Cette micro-algue bleue existe à la surface des milieux aquatiques depuis trois milliards d'années. Ses 70 % de protéines, sa forte teneur en fer, en vitamines, en béta-carotène etc... lui donnent des vertus nutritives, revitalisantes et de soutien des défenses immunitaires reconnues dans le monde entier. Les dauphins mangent quatorze kilos de poissons par jour, ce qui revient en moyenne à 150 F de budget par jour pour chaque dauphin.

A cela il faut ajouter les frais d'examens vétérinaires régulièrement effectués, les médicaments si besoin est, l'entretien du site etc... A Sugarloaf aucun membre de l'équipe ne perçoit de rémunération.

La question ne manque pas de se poser, de savoir comment payer le transport des dauphins pour les relâcher dans leurs eaux d'origine lorsque le gouvernement daignera se décider! En mai, Ric imprime sur les nageoires des dauphins les sigles qui permettront de les identifier en mer. Pyramide, étoile, cœur, sigles de paix et autres sont imprimés sans douleur, remplaçant l'identité que la captivité leur avait donnée. Bogie, Bacall, Molly, Buck, Luther et Jake n'existent plus.

Mais début juin le comportement des dauphins traduit une difficulté de plus en plus grande à accepter une situation qui les prive d'une liberté totale. Ne voulant prendre le risque de les voir devenir dépressifs, l'ultime filet les séparant de la baie est coupé, sans l'accord préalable des autorités.

Jamais un programme de réhabilitation n'a autant traîné en longueur pour des questions d'intérêts multiples. Le gouvernement s'offusque mais Lloyd s'empresse de lui rappeler sa responsabilité dans la décision qui vient d'être prise. Les ONG soutenant le projet voient s'envoler toute chance de battage médiatique pour le jour "J" et chargent toute l'équipe de sentiments amers. La plus impliquée entreprend de survoler quotidiennement le sanctuaire par hélicoptère, télescope en main pour veiller où sont les dauphins.

Elle menace de supprimer son aide financière et d'enlever les dauphins pour les transférer dans un centre de *swim program* !

Le bien-être des dauphins devient curieusement secondaire dans cette bataille pour la notoriété et les avantages entre autres financiers que celle-ci peut engendrer…

La grande "famille" des protecteurs des animaux n'est pas aussi empreinte de sincérité et de solidarité qu'elle veut bien le laisser croire au public. En septembre 1995, la justice américaine a tranché et désigné le "Dolphin Project" et Llyod Good III en tant que propriétaires définitifs des dauphins de la US Navy.

Mais en novembre 1995, ils n'avaient toujours pas l'autorisation du gouvernement de les relâcher…

Ric fait partie de ces hommes chez qui l'intelligence du cœur à l'égard des animaux ne demeure pas une face cachée de leur personnalité, mais vient compléter au grand jour une générosité riche d'enseignement. Les dauphins sont autant en lui qu'il est en eux. La complicité spontanée qu'il établit avec eux fait naître beaucoup de jalousie et de coups bas pour le faire tomber, quand il ne demande qu'à la partager. De toutes les personnes que j'ai rencontrées dans le milieu des ONG, Ric est le seul être sincère qu'il m'ait été donné de rencontrer. Les dauphins eux-mêmes ne s'y sont pas trompés en le choisissant pour porter leur message d'amour et de paix. Dans le milieu des protectionnistes où les rivalités rythment les défaites, le conflit qui l'oppose aujourd'hui à l'hostilité de quelques egos surdimentionnés n'est qu'un reflet de plus de la comédie ridicule que l'homme se joue à lui-même depuis des siècles, afin de se complaire dans l'illusion qu'il est le plus fort. Tout troubleur de fête et réveilleur de conscience est en conséquence mal venu…

Pendant ce temps Bogie, Bacall et Molly sont rejointes par Luther qui, dès lors, ne montre plus le moindre signe d'agressivité. Tous retrouvent leur joie de vivre et chassent à tout va le mulet qui abonde. Buck et Jake profitent pour leur part de l'ensemble du lagon. La liberté dont les dauphins jouissent dans la baie est un parfait tremplin pour les préparer au grand large.

***

Jake et Luther récupèrent des traumatismes
subis dans la US Navy.

Photo Muriel Teyssier

Jake perdra rapidement le réflexe de sortir sa tête hors de l'eau,
typiquement lié à la captivité.

Photo Muriel Teyssier

Buck, Jake et Luther retrouvent un comportement social…

Photo Muriel Teyssier

…et affectif.

Photo Muriel Teyssier

Dolphy blessée.

Photo Alain Gayraud

Dans le lagon, Buck retrouve son vrai sourire.

Photo Muriel Teyssier

Missie et Silver libres dans les "Turks and Caïcos".

Photo Kurt Amsler

Ric O'Barry et Flipper, au Brésil.

Photo W.S.P.A.

La sortie du film "Sauvez Willy" en 1993 aux Etats-Unis n'a pas manqué de relancer le débat de la réhabilitation d'orques, jamais entreprise à ce jour. Le *dolphin business* a de nouveau tremblé...

La réhabilitation d'une orque est beaucoup plus délicate que celle d'un *tursiops*. Cela ne signifie pas qu'elle soit impossible. Si l'on est capable de transporter un tel animal dans un bassin, on est capable de l'en sortir par les mêmes moyens. Mais la suite des opérations pose davantage de contraintes. L'orque, plus que tout autre dauphin, supporte excessivement mal l'isolement que la captivité occasionne. Coupé de sa famille, ce mammifère marin est totalement perdu. Aussi, réhabiliter une orque ailleurs que dans ses eaux natales et en dehors de son groupe qui use d'un dialecte très personnalisé, revient à la condamner à mort. Le temps de préparation est décuplé et l'infrastructure à mettre en œuvre beaucoup plus coûteuse. Rien n'est impossible et les échecs des projets mis en place relèvent plus de l'acharnement de l'Industrie à les contrarier que d'un manque de crédibilité et de savoir-faire.

Celle-ci se plaît à dire qu'un animal resté trop longtemps captif n'a aucune chance de se réadapter à la vie sauvage. Les *tursiops* ont prouvé le contraire, pourquoi pas les orques ?

A l'occasion du Symposium de la Fondation Bellerive en 1990, Paul Spong évoque la situation critique de l'orque Corky et propose d'envisager d'urgence sa réhabilitation. En 1989 il a dénombré en Colombie Britannique une communauté de cent quatre-vingt-trois orques, comprenant trois clans et trente et un groupes, eux-mêmes divisés en sous-groupes. Ces derniers consistent en unités de base. On y recense généralement une femelle reproductrice avec sa descendance. Vient parfois s'y rattacher une autre mère ou un cousin mâle orphelin. La notion de famille est très forte, voire même vitale chez les orques. L'unicité et la solidarité y priment. L'orque naît, vit et meurt dans sa famille. Les captures brisent les groupes qui mettent plusieurs générations à se reconstituer.

Les scientifiques, dont Paul Spong fait partie, choisissent d'appeler A5 le groupe d'orques de Colombie Britannique auquel appartiennent Corky, Yaka et Hayak. Il subit deux vagues de capture. En 1968, Hayak encore tout bébé est séparé de sa mère qui meurt quelques mois plus tard à l'aquarium de Vancouver (Canada).

Tous les membres du groupe sont séparés les uns des autres. En 1969, seules Yaka et Corky survivent sur les douze individus capturés. Yaka est envoyée au Marineland Africa-USA basé près de San Francisco. Corky au Marineland de Palos Verdes en Californie où elle restera seize ans.

L'histoire de Corky est certainement une des plus révélatrices du sort qui attend les orques en captivité. Parvenue à maturité sexuelle, elle devient mère à sept reprises mais pour des laps de temps très courts. Tous ses bébés sont mort-nés ou décédés dans les semaines qui suivirent leur naissance. Capturée à quatre ans, elle n'a pas pu apprendre son rôle de mère. A dater de 1987 elle devient stérile. Corky partageait son bassin de Palos Verdes avec le mâle Orky appartenant également à son groupe et capturé en 1968. Le 26 septembre 1988, son compagnon décède après leur transfert l'année précédente au Sea World de San Diego, d'une pneumonie aggravée par une infection généralisée. Corky est très affectée par cette disparition qui anéantit le dernier lien qu'elle possédait avec son groupe d'origine. Le 21 août 1989 elle est attaquée en plein show par Kandu. C'en est trop pour la femelle orque. Son moral et sa santé déclinent rapidement.

Elle n'a que vingt-cinq ans et plus beaucoup d'années à vivre si elle n'est pas libérée. De jeunes femelles en provenance d'Islande et en âge de procréer sont introduites dans son bassin. Même si Corky n'a pas pu répondre aux attentes de ses propriétaires, elle est aujourd'hui la Star du delphinarium et ce statut suffit à lui seul à contrarier l'espoir de la voir retrouver le goût de vivre avec sa famille dans les eaux de Colombie Britannique.

Selon l'avis de Paul Spong, l'idéal aurait été de réhabiliter Corky, Yaka et Hayak ensemble afin d'assurer leur survie pour le cas où leur groupe d'origine les rejetterait, leur permettant ainsi de créer leur propre sous-groupe. Un idéal trop onéreux qui fait cibler le projet sur Corky dans la mesure où sa santé lui permet de supporter la réhabilitation. Les étapes de la libération de l'orque sont établies et procèdent de la même manière que pour les *tursiops* avec, en plus, la chance que le groupe de Corky n'a pas été difficile à repérer. Une chance qui est rapidement contrariée par Sea World qui n'entend pas se faire ravir l'orque qui lui rapporte chaque année des milliers de dollars ! La pression est telle que le projet capote au moment où il ne manquait plus qu'à sortir légalement Corky de son bassin, et ce malgré l'appui des ONG internationales.

Le 30 août 1991, Paul Spong rencontre en effet la direction de Sea World pour tenter de négocier la réhabilitation de Corky. Les arguments avancés par la partie adverse lui font comprendre rapidement que la porte ne s'est en réalité jamais ouverte et que le puissant groupe n'a daigné cet entretien que dans le but de le voir accepter une collaboration scientifique qui serait alors "mutuellement" bénéfique!

Parmi les nombreuses raisons avancées à l'encontre de la réalisation du projet, on compte celles-ci :

1) Sea World considère que la durée moyenne de vie d'une orque en captivité ou en liberté est similaire, et n'excède pas les... trente-cinq ans ! Or il est scientifiquement prouvé, notamment grâce au principe de photo-identification, que les orques vivent jusqu'à cinquante ans pour les mâles et quatre-vingts ans pour les femelles dans leur milieu naturel. Si Corky offre l'apparence d'une femelle âgée, ce n'est pas tant en raison de cet argument motivé par des intérêts financiers, qu'à cause du stress lié directement à l'état d'animal captif et des événements qui ont marqué son existence depuis sa capture.

2) Corky étant "vieille", Sea World prétend que sa mère ne peut plus être en vie et que cette absence condamne le projet à l'échec. Or Paul spong n'a jamais cessé d'étudier le groupe d'origine de Corky et n'a jamais enregistré le décès de la mère. Sea World n'a pas retenu sa proposition d'effectuer une vérification scientifique par prélèvement de tissus...

3) Pour Sea World, Corky montrerait des signes de sénilité, ce qui l'empêcherait de pouvoir s'assumer en liberté. Il est

évident qu'elle serait soumise à une réadaptation progressive qui seule pourrait décider si, à terme, l'orque peut être réinsérée dans son groupe d'origine. Quoi qu'il en soit, ne serait-elle pas mieux à finir ses jours dans une réserve naturelle plutôt que dans un bassin chloré à flotter à la surface de l'eau entre deux spectacles ?

La captivité est un véritable business qui ne veut pas voir ses intérêts compromis. Face à la mauvaise foi de Sea World, et du groupe industriel Anheuser-Busch auquel il appartient, les ONG américaines ont appelé au boycottage de ses produits.

***

Un nouveau trouble-fête pointe le bout de son rostre en 1993 et répond au nom de Keiko, alias Willy dans le film de l'australien Simon Wincer "Sauvez Willy", produit par la Warner Bros. Les contacts que j'entretiens avec le groupe scientifique américain CWR (Center for Whale Research) axé sur la défense des baleines me permet de suivre les démêlés d'une histoire d'orque aussi sordide que celle de Corky.

Keiko a été capturé dans les eaux de la côte sud d'Islande en novembre 1979, âgé de deux à cinq ans. Il rejoint quatre autres orques dans un delphinarium situé près de Niagara Falls au Canada. En 1985 il est vendu au parc d'attraction Reino Aventura de Mexico, qu'il ne quittera plus. Le bassin n'a pas été conçu pour accueillir une orque et Keiko, en atteignant sa taille adulte, s'y trouve rapidement à l'étroit. Condamné à y vivre seul, il fait preuve, alors qu'il n'est âgé que de dix-huit ans, d'un profond désarroi. Ses dents sont usées et sa mâchoire saigne à force de mordre le rebord du bassin à longueur de journée. Comportement pathologique typique des animaux stressés par la captivité. Sa nageoire dorsale s'est atrophiée et il souffre autour des nageoires pectorales et caudale d'un eczéma géant dû au virus papillonna. Malade avant le tournage du film, Keiko en ressort encore plus diminué. Les orques mâles survivent rarement plus de vingt ans en captivité. Le compte à rebours est commencé pour Keiko qui, en liberté, aurait pu espérer vivre plus de cinquante ans !

La logique aurait voulu que la réalité colle à la fiction et que les grandes idées anti-captivité clamées dans le film voient leur concrétisation dans la libération réelle cette fois de Keiko. Or il n'en n'est rien et l'orque-star est lâchement abandonnée après le tournage dans l'eau chlorée de son bassin vétuste. La presse américaine étale sa colère en première page, et accuse la maison de production d'être irresponsable. Si le film réussit son pari d'éveiller le public au problème de la captivité, la réalité frappe de plein fouet une nation qui révèle une capacité de réaction étonnante, réclamant haut et fort la libération de Keiko.

L'événement prend une dimension internationale avec l'arrivée du film sur les écrans européens en 1994, avec toutefois un enthousiasme moins marqué de ce côté de l'Atlantique, pour ne pas changer... Les ONG françaises ratent le coche et ne savent pas profiter de l'occasion pour relancer le débat captivité/réhabilitation. Certaines préfèrent à leur façon profiter du film pour recruter des membres et grossir leur budget à des fins autres que la libération de Keiko... Des delphinariums du vieux continent laissent entrevoir leur inquiétude (douteraient-ils du bien-être de leurs orques ?) en tentant, sans succès, d'organiser des conférences pro-captivité dans les salles de cinéma où est diffusé le film et en offrant des entrées gratuites dans leur parc !

En octobre 1993 le CWR entame la mise en place d'un plan de réhabilitation de Keiko qui, au même titre que Flipper ou Joséphine, héroïne du "Grand Bleu", rejoint le groupe des cétacés sacrifiés par le cinéma pour le plaisir de l'homme. Les recherches de la famille de Keiko sont entreprises, en vue dans un premier temps d'enregistrer son dialecte et de le lui rediffuser. Un travail de longue haleine recevant la collaboration des scientifiques locaux. Ken Balcomb, biologiste, se rend en Islande pour obtenir du gouvernement l'autorisation d'aménager un enclos naturel pour y réhabiliter Keiko. A son retour il me fait part du refus des autorités locales de coopérer. Dans une lettre du 18 mars 1994 Madame Finnbogadottir, Présidente d'Islande, donne sa réponse :

"... les autorités compétentes considèrent possible que l'orque Keiko soit porteur de maladies contagieuses qui pourraient constituer une menace pour l'écosystème si fragile de l'océan autour de l'Islande." Pour Ken Balcomb, il semblerait que le problème se situe davantage au niveau des captures que le pays continuerait d'autoriser pour les delphinariums internationaux.

A Mexico les négociations ne sont pas plus aisées à mener et l'Alliance Américaine des Parcs de Mammifères Marins et des Aquariums renforce sa pression sur le propriétaire de Keiko pour qu'il ne collabore pas avec les ONG internationales. Pour faire bonne figure elle s'engage à financer quelques travaux d'aménagement du bassin et annonce par voie de presse son désir d'aménager une crique des environs de Cape Cod au Massachusetts pour y accueillir Keiko ainsi que que d'autres mammifères marins...

Le risque de contagion est étrangement oublié dès qu'il s'agit de préserver des dollars...

En 1995 les travaux d'aménagement se résument à peu de choses. L'eau du bassin a été refroidie, permettant à Keiko d'être moins abattu, de regagner un peu de poids. Mais le *tursiops* Ritchie, son compagnon contre-nature arrivé quelques mois plus tôt, n'a pas supporté la baisse de température. Il a dû être isolé dans un bassin adjacent ! Depuis ces maigres changements Keiko refuserait fréquemment de se prêter au show...

Si le *dolphin business* acceptait de se ranger du côté des ONG, celles-ci, qui ont durant des mois mis financièrement le public à contribution, seraient-elles prêtes à reverser les dollars amassés pour permettre à Keiko de donner quelques coups de nageoires dans une eau qui n'aurait plus le goût de chlore ? Le public lui-même est-il prêt à accepter qu'un symbole de liberté soit sauvé et à ne pas crier au scandale comme il l'a fait en 1988 quand deux baleines ont été sauvées des glaces de l'Alaska au prix de milliers de dollars ?

La réponse est apportée par la Fondation "Sauvez Keiko" créée par le groupe américain Earth Island Institute en 1995.

Le projet aura nécessité un an de préparation et prévoit la construction dans l'Orégon d'un bassin artificiel pour accueillir Keiko et y effectuer sa réhabilitation. La Warner apporte une contribution de deux millions de dollars. Un compromis avec l'industrie peut-être inévitable mais qui laisse malgré tout sceptique quant à ses conséquences. La Warner Bros redore son image avant la sortie de Keiko N°2.

Affaire à suivre...

***

Un grand projet de delphinarium ultra-sophistiqué aboutit à Barcelone en 1995. L'orque Ulysse est arrivé bébé dans le bassin d'origine qui s'est rapidement révélé trop petit. En attendant la fin des rénovations, l'orque a été transférée au Sea World de San Diego en Californie pour revenir l'année suivante en compagnie d'une éventuelle progéniture. Le parc détient déjà un *tursiops truncatus* dans des conditions lamentables.

Dans un delphinarium de Niagara Falls, Junior, un jeune orque mâle, vit depuis plusieurs années abandonné dans un bassin éloigné du regard du public, dénué de la lumière du jour et d'air frais. Il n'a pas été dressé et de ce fait a peu de chance d'être acheté. Sa vie consiste à flotter à la surface de l'eau et à manger le poisson congelé que les dresseurs daignent lui apporter. Sa situation est encore plus catastrophique que celle de Corky ou Keiko. Comment peut-il encore survivre à autant de lâcheté humaine ?

Au Seaquarium de Miami en Floride, les ONG commencent en 1995 à se mobiliser en faveur de la libération de l'orque Lolita. Un groupe est spécialement créé comme pour Keiko. Combien de temps l'Industrie américaine, qui est la plus puissante au monde, tiendra-t-elle face à une pression qui finira bien par avoir gain de cause si elle est supportée par le public ?

***

Tous ces programmes de réhabilitation méritent d'être davantage connus du public qui n'entend que les critiques formulées à l'égard de la captivité sans, en parallèle, être informé des solutions. Parce qu'il n'est pas logique de combattre la captivité sans défendre parallèlement la réhabilitation, parce qu'il est indigne de consacrer nos efforts à empêcher de nouvelles captures en abandonnant les milliers de cétacés déjà détenus en captivité, nous n'avons pas le droit, en tant que protectionnistes de ne pas promouvoir la réhabilitation qui est leur seule chance de survie. Elle a su prouver par ses succès que la captivité n'était que souffrance. Mais elle demande beaucoup plus d'actions sur le terrain et il est regrettable qu'au sein même du milieu des ONG, trop de personnes reculent devant l'effort et les risques, et par souci surtout de préserver leurs intérêts, jouent par leur défaitisme le jeu des delphinariums. Il est devenu autant lucratif de défendre les intérêts des animaux que de les exploiter. Il est regrettable de constater qu'une très grande majorité de groupes de protection privilégient leur temps et leurs moyens à "soigner" leur notoriété. A renfort d'opérations médiatiques souvent mensongères, ils entretiennent une compétition humaine jouant à l'encontre des animaux qui sont totalement oubliés dans la bataille. De nombreux individus isolés obtiennent sur le terrain davantage de résultats concrets grâce à leur générosité et leur humilité.

Les animaux détenus en captivité ont encore un droit à vivre qui mérite d'être défendu. Il conviendrait de ne pas l'oublier.

En définitive ce sont eux qui nous choisissent pour les aider dans la mission qui est la leur. Non l'inverse. Ce n'est pas tant le nombre de groupes protectionnistes qui est important que la qualité de l'aide apportée. A l'image de l'enseignement qu'ils nous distillent au quotidien, c'est la compassion et l'humilité qui doivent guider notre démarche et non l'émotionnel seul.

Lorsque, sur le terrain, les protectionnistes auront l'intelligence d'être solidaires et de mettre au placard leurs ambitions égoïstes, qui leur ôtent toute dignité, alors les dauphins auront peut-être la chance de pouvoir vivre en paix.

CHAPITRE 8

De l'homme à l'animal

"En tirant d'affaire un insecte en détresse,
je ne fais que d'essayer de payer quelque chose de la dette
toujours renouvelée de l'homme à l'égard des bêtes."
Sweitzer[1]

L'être humain n'est encore qu'une ébauche de ce que la Vie l'appelle à devenir. Il a cessé de grandir le jour où il s'est mis en marge de la Nature pour se donner l'illusion de la dominer. Il persiste encore aujourd'hui à croire qu'il est le seul être vivant intelligent quand il n'est en réalité que différent. Du règne animal il est la seule espèce à s'autodétruire et à être incapable de régler ses problèmes. Il s'acharne depuis des siècles à humilier l'animal en le considérant comme un objet, partant du principe qu'il est le seul à pouvoir souffrir et ressentir de la douleur.

De nombreux philosophes, conscients de ce leurre destructeur, se sont de tout temps penchés sur la question des droits moraux à reconnaître à l'animal. Les énoncés théoriques ont rencontré peu de résultats sur le terrain, au point que tout ou

1 - "La civilisation et l'éthique", Arthaud, 1976.

presque reste à faire. De plus en plus d'esprits tentent aujourd'hui de retrouver à l'harmonie originelle en rétablissant un dialogue avec la Nature et en défiant les règles de conduite fixées par la société “moderne”. Aux endurcis aveugles les jeunes générations ont la responsabilité de faire comprendre ô combien les causes animales et humanitaires sont étroitement liées. La Vie est un TOUT qui ne tolère aucune exclusion, pas plus que de priorité à accorder à une espèce plutôt qu'à une autre. Chaque étincelle de vie a son utilité. En respectant ce qui l'entoure, qui ne lui ressemble pas et ne lui appartient pas, l'être humain apprend à se respecter lui-même. Nous sommes inséparables de la Nature et par nos erreurs nous la mettons en danger. L'harmonie et l'équilibre du TOUT reposent autant sur un insecte, une plante, que sur l'être humain. Le même souffle de vie nous anime tous. S'il est important de reconnaître l'individualité de chaque être vivant, nos ambitions doivent servir un objectif beaucoup plus vaste qui est la qualité de vie pour l'ensemble de notre monde. La Terre ne nous appartient pas. Le rôle de l'homme n'est pas de détruire la Vie mais de la préserver ! Il ne sert à rien de vouloir à tout prix laisser une trace de notre passage. Nous n'en serons pas plus vivants pour autant. Nous nous voulons immortels alors que nous sommes incapables d'apprécier le plus beau cadeau qu'il nous soit donné d'avoir : la Vie ! L'ignorance est la cause de notre cruauté et nous fait sacrifier des innocents. L'indifférence nous évite d'avoir des remords. Nous n'écoutons plus notre cœur et notre besoin de domination est en train de nous perdre. L'amour que l'on donne est lié à celui que l'on se porte et qu'on s'autorise à recevoir. La violence que nous exerçons sur la Nature ne témoigne-t-elle pas du profond malaise qui nous tenaille, lié aux doutes que nous avons sur notre utilité dans le TOUT ?...

La redéfinition de la place de l'être humain soulève de vives polémiques. On ne remet pas en cause sans heurts des siècles de tradition. Le mouvement qui veut voir attribuer des droits moraux et juridiques à l'animal rencontre de fortes résistances.

Seul l'homme est reconnu comme un être étant concerné par une éthique et, en cela, susceptible de bénéficier de tels droits. En se retranchant derrière ce mode de pensée l'humanité masque sa peur de perdre son "pouvoir". L'animal, sa position reconsidérée, ne va-t-il pas se venger de ses souffrances et l'asservir à son tour ?

Le respect de la Vie est un devoir que nous avons ignoré pour favoriser nos intérêts. Nous avons toujours utilisé l'animal pour notre propre compte, pour nous divertir, nous défendre, nous vêtir, nous nourrir etc... Nous lui en sommes bien mal reconnaissants !

La pensée gréco-romaine reconnaît à l'homme une primauté absolue. Seul Pythagore, au contraire, met en évidence le devoir de protéger les animaux qui sont les réceptacles de nos âmes défuntes.

Plutarque souligne à juste titre la parenté de l'homme avec le règne animal et s'indigne de la consommation de viande carnée.

Au Moyen Age, la pensée chrétienne prend ses distances par rapport à la Bible et au paradis originel où l'homme vivait en parfaite harmonie avec l'animal. Au XVIIème siècle celui-ci se trouve rabaissé à l'état de "machine". Ce n'est que deux cents ans plus tard qu'apparaissent les premiers groupes de protection animale.

L'homme ne peut plus dès lors faire ce que bon lui semble. Il a désormais des comptes à rendre, du moins en théorie ! Le débat de l'individualité de l'animal et de son droit à jouir de son existence est toujours d'actualité, mais peu entendu tant il dérange. La théorie de l'évolution nous rappelle que la race humaine est biologiquement liée au règne animal. Montaigne parle de capacités de raisonnement et de discernement identiques.

Saint François d'Assise souligne que l'homme doit faire preuve de compassion à l'égard de l'animal. En Angleterre, Peter Singer et Jeremy Bentham posent enfin la question de la souffrance physique et morale de l'animal, donc de la douleur qu'il est autant capable que l'homme de ressentir. Il est sensible. Il peut comme nous être gai, triste, inquiet, avoir peur, aimer, souffrir. Mais il n'a pas beaucoup de moyens de l'exprimer si ce n'est par son comportement que l'on ne prend pas le temps d'observer ni de comprendre. Ce n'est pas parce qu'il ne parle pas que l'animal ne ressent aucune émotion ! A intelligence différente, mode d'expression différent.

Par instinct l'animal devine et ressent des milliers de choses que nous sommes incapables de comprendre ni même de percevoir. Il est beaucoup plus investi dans la Vie que nous ne le sommes.

En Orient l'animal endure sévices et mauvais traitements malgré le respect théorique prôné par l'Islam. En Extrême-Orient la continuité entre l'homme et l'animal prime mais rencontre autant d'écueils dans son application sur le terrain. L'Hindouisme voit dans l'animal la réincarnation d'un défunt. Le Bouddhisme prêche la pitié que l'homme doit manifester à l'égard de tout être souffrant, homme ou animal. Cette partie du monde donne l'impression d'avoir moins rompu avec le vrai sens de la Vie, mais son dévouement aux animaux se concrétise finalement beaucoup moins qu'en Occident où paradoxalement nous respectons le moins notre environnement !

Le matérialisme qui nous obsède n'a que faire du bien-être de l'animal. L'existence de celui-ci n'est appréciée qu'en fonction des intérêts moraux, scientifiques ou économiques qu'elle peut nous rapporter. L'animal doit être utile et sa vie dévouée à l'humanité. Le respect de son indépendance et de son individualité est conçu comme une perte de temps donc d'argent. La morale est écrasée par la soif de pouvoir. La tolérance et la compassion génèrent un contexte spirituel encore trop mal perçu en Occident pour avoir une influence conséquente. Les mouvements écologiques gagneraient à rester éloignés des affaires politiques. Le “naturel” est à la mode pour des raisons plus commerciales que philosophiques !

Ce que nous reprochons à l'animal, nous le retrouvons en nous-mêmes. Par leur sacrifice nous tentons d'exorciser nos défauts qui, paradoxalement, sont le fondement de nos qualités.

Celui qui reproche à son chien d'être stupide ne s'accuse-t-il pas par voie détournée de sa propre bêtise ?... Celui qui le caresse ne lui donne-t-il pas l'attention et l'amour qu'il souhaiterait recevoir ? Nous projetons beaucoup de nous-mêmes et de nos pulsions inconscientes sur l'être qui nous fait face, quel qu'il soit. Le fait que l'animal ne soit pas doté de la parole nous laisse supposer à tort que nous sommes plus intelligents et que nous avons tous les droits y compris sur sa vie. Seul l'être humain est capable de faire souffrir voire même de tuer pour son plaisir. L'animal, lui, ne tue que pour se nourrir. Comment pourrait-il en conséquence ne pas être désemparé par de tels actes au moyen desquels nous lui faisons payer l'innocence que nous avons perdue ?

Nous ne serons pas capables de les respecter tant que nous penserons avoir besoin d'eux.

Le langage de la société est faussé. Le terme "animal" pourtant couramment utilisé prête à confusion. De la façon dont il est employé, il laisse supposer qu'il n'inclue pas l'être humain. Les mots "bête" et "bestial" traduisent tout autant notre mépris des êtres que notre ego décrète "inférieurs". Or, tendre la main à une "bête" abandonnée plutôt que de passer son chemin pour ne pas être dérangé, n'est-ce pas commencer par tendre la main à l'homme perdu que nous sommes ? Comment pouvons-nous espérer recevoir si nous ne commençons pas par donner !

Le premier texte de la Déclaration Universelle des Droits de l'Animal est adopté en 1973 par le Conseil National pour la protection des animaux. Il est parachevé en 1989 avec le concours de la Ligue Française des Droits de l'Animal. Cette déclaration faite de principes éthiques généraux reconnaît le droit à l'existence à toutes les espèces vivantes et stipule que l'animal ne peut être soumis à des devoirs envers l'homme.

Minéral, végétal, animal, tous contribuent à l'équilibre biologique de la planète. Pour quelle raison et de quel droit une espèce plutôt qu'une autre détiendrait-elle le monopole du bonheur ? Or rien juridiquement ne distingue encore aujourd'hui l'animal d'un objet. La loi pénale du 19 novembre 1963 et du 10 juillet 1976 condamne les actes de cruauté sur les animaux domestiques ou détenus en captivité. Mais combien de fois cette loi est-elle appliquée, combien de fois est-elle détournée sur le terrain ? Les dérogations de peine se multiplient au rythme des modes et des profits qu'elles génèrent. Le but n'est pourtant pas d'attribuer à l'animal les mêmes droits que les nôtres mais des droits qui soient appropriés à ses besoins et lui permettent de bénéficier d'une meilleure justice en guise de protection. Il ne s'agit pas de remplacer notre égoïsme par une bienveillance excessive. Si la question est encore difficile à débattre du point de vue juridique, qu'un pas en avant soit fait sur un plan moral. Il demande un bouleversement des traditions et un changement dans les mentalités qui ne se feront certes pas du jour au lendemain. Mais si l'humanité défaitiste ne bouge pas maintenant, quand le fera-t-elle ? L'article 10 de la Déclaration Universelle des Droits de l'Animal nous dit ceci : "L'éducation et l'instruction publique doivent conduire l'homme, dès son enfance, à observer, à comprendre et à respecter les animaux."

L'animal est né pour être libre. Il ne suffit pas de l'aimer pour le comprendre et le respecter. Aimer un animal, c'est l'accepter tel qu'il est, c'est respecter sa liberté, son environnement. C'est l'aimer pour lui, non pour soi. Aimer ce n'est pas posséder, mais admirer et respecter. Le spectacle que nous offre la Nature est le seul qui puisse être instructif.

Nous disons aimer les dauphins et nous leur prouvons notre amour en les privant de leur liberté ! Un delphinarium, au même titre qu'un cirque, qu'un zoo, qu'un aquarium, n'est pas un lieu de vie.

Le dauphin n'y est pas notre ami mais notre instrument. Posez-vous la question de combien d'heures d'humiliation et de privation il est contraint de subir avant d'être reconnu comme un bon clown par vos applaudissements !... Si vous voulez vraiment les aimer, laissez-les vivre en paix ! Il y a un droit que l'homme ne peut se privilégier d'avoir, c'est celui de vivre et de jouir de son existence. Or ce droit appartient à tous. L'homme n'est pas co-créateur de l'univers comme la théorie chrétienne veut le faire croire. Il n'a aucun "pouvoir" sur les autres espèces. Pour Eugène Drewermann, "la théorie chrétienne reprit Platon de telle sorte que seul l'homme fut dit immortel alors que les animaux non raisonnables ne furent plus considérés que comme des êtres éphémères. Elle a rompu idéologiquement le lien commun de la vie qui relie entre eux les hommes et les animaux."

Nous sommes arrivés en terrain conquis au lieu de tenter, avec un peu de patience et de bon sens, d'établir un dialogue. Nous sommes passés à côté d'un monde merveilleux qui nous offrait toutes ses richesses avec une générosité dont nous ne sommes pas capables.

C'est peut-être pour avoir perdu cette faculté à ouvrir notre cœur que nous avons choisi de détruire ce qui nous renvoie avec trop de subtilité à ce que nous sommes.

La captivité peut être qualifiée "d'acte de cruauté avec alibi". Education, recherche scientifique, tradition, esthétisme, divertissement etc... sont autant de justifications hypocrites invoquées par l'homme pour l'appât du gain. Chaque individu se rendant dans les zoos, cirques, arènes et delphinariums participe au découpage des responsabilités et se déculpabilise par le biais d'âmes innocentes. La violence physique ou morale qui plane sans être forcément apparente, est alors collective et masque les responsabilités individuelles. La captivité sert de défouloir.

Jusqu'au milieu de ce siècle, on exhibait bien sans scrupule dans les foires les êtres humains atteints de malformations congénitales.

Nous ne pouvons plus évoquer l'absence d'âme et de sensibilité chez l'animal pour justifier l'expérimentation animale, la corrida, les cirques, les combats de coqs, le maintien de fêtes traditionnelles sanglantes etc...

La question des droits se pose au niveau de chacun d'entre nous. Personne ne peut y échapper. Qu'on le veuille ou non, les causes animales et humanitaires sont étroitement liées. On a coutume de dire qu'un homme qui n'aime pas les animaux ne porte pas davantage d'affection à ses semblables. Je n'y vois rien de faux.

Inconsciemment un tel individu prouve par son comportement qu'il ne s'aime pas lui-même.

L'animal ignore la trahison, la lâcheté, la délation, la perversion, la cruauté. Nous lui envions son innocence, sa sincérité, sa spontanéité, son instinct. A travers la souffrance qu'il impose à l'animal, l'homme communique son mal-être. Il le charge de ses vibrations négatives. Il instaure la peur dans une relation qui était à l'origine pacifique et harmonieuse. Il lui communique ses angoisses et en fait le témoin de sa propre souffrance. Quand l'homme décidera d'être heureux, les animaux le seront aussi. Leur sacrifice actuel n'a d'autre but que d'imprégner la souffrance de l'humanité dont celle-ci se décharge sur la Nature et de la pousser à s'en écarter définitivement, à ne plus la reproduire, au profit de l'amour.

Nous avons été les derniers êtres vivants à avoir été créés et pour cette raison nous avons toujours pensé que nous étions le bouquet final, la perfection même, LA référence. La Vie a existé sans nous pendant des milliards d'années. Nous ne lui sommes pas plus indispensables aujourd'hui. Nous sommes faciles à éliminer puisque nous sommes en haut de l'échelle... Le monde est habité d'une multitude de formes de Vie intelligente dont nous ignorons l'existence. Ne pas placer la condition humaine au-dessus de tout, mais jeter un seul et même regard sur la diversité et la beauté de la Vie dans ses multiples expressions, c'est faire preuve d'intelligence et de sagesse. C'est reconnaître la place qui est la nôtre dans le Tout et s'ouvrir à une conception de la Vie plus vaste, plus vraie, plus simple et tellement plus enrichissante. Cessons d'aller chercher dans les étoiles un bonheur que nous ne parvenons pas à nous donner sur Terre. La clé du mystère est plus proche que nous ne le pensons.

Elevons notre conscience à des choses plus positives. Nous avons en nous des capacités qui ne demandent qu'à être exploitées. Nous convoitons la sagesse sans nous donner les moyens de l'atteindre ni même de la mériter. Nous voulons le dessert avant le reste. Or, il n'est pas possible de contrarier l'ordre établi par les Grandes Lois. Nous avons une existence spirituelle commune avec les animaux, végétaux, minéraux. Mais elle échappe à notre conscience.

Nous avons encore beaucoup à apprendre, beaucoup de chemin à parcourir pour arriver un jour à La Connaissance. Rien ne nous est dû. Rien n'est jamais acquis. Rien ni personne ne nous appartient. Rien n'est jamais définitif.

La protection de la faune et de la flore est un garde-fou pour l'humanité. Apprenons à nos enfants à renouer avec la Vie.

Prenons le temps de le faire et ne repoussons pas à demain ce que nous pouvons faire aujourd'hui. Ne soyons pas pédants, soyons humbles, et nous serons plus riches de pouvoir que nous ne l'avons jamais été. Car alors la notion même de pouvoir ne voudra plus rien dire. Nous serons au-dessus. Nous saurons vivre. Nous saurons qui nous sommes et pourquoi nous vivons. Nous n'aurons plus besoin de nous fuir parce que nous aurons cessé de douter.

Nous aurons renoué avec l'Essentiel.

***

Le combat pour le respect de la vie est un chemin semé d'embûches qui n'accepte aucune motivation égoïste. Ceux qui s'y aventurent pour s'occuper, se faire des relations, se donner bonne conscience ou épater la galerie n'iront pas très loin... On n'y avance qu'à petits pas, sans grand éclat. On s'y sent souvent impuissant.

L'espoir et la persévérance trouvent alors leur force dans un sentiment qui ne s'invente pas : LA PASSION DE LA VIE !

CHAPITRE 9

Sauvés par des dauphins

Mars 1994. La baleine nage sereinement dans la mer du Timor. Elle lève ses nageoires pectorales vers le ciel et offre son ventre au soleil. Elle ne sait pas encore. En remontant des abysses elle a deviné le bruit de l'homme mais pas la mort qui l'accompagne. Elle ne sait pas encore que le destin va éprouver son courage. De l'horizon surgissent quatre canoës. A l'intérieur, trente-quatre chasseurs indonésiens qui viennent de repérer son puissant souffle. Ils ont choisi de lui ôter la vie.

Le harpon vient déchirer sa chair. Elle s'enfonce pour échapper à une autre brûlure. Chaque bulle d'eau salée s'emplit de son sang et vibre au rythme des palpitations de son cœur cédant à la panique.

Ses cris de douleur clament son incompréhension et son innocence. POURQUOI ont-ils fait ça ?...

Surgi soudain des profondeurs, son groupe la rejoint et fracasse deux embarcations. Il en renvoie une vers un petit port, dans le détroit de Lomblen, porter sa colère aux hommes.

Le combat des baleines n'est pas terminé. Les hommes ne veulent pas lâcher leur proie. Deux jours durant, la baleine harponnée traîne non sans fatigue le canoë abritant quelques naufragés gonflés d'orgueil. Ils comptent sur la mort qui ne viendra plus. Cette fois la baleine sera la plus forte. Son groupe ne la quitte pas.

Fatigués, affamés, les hommes finissent par couper la corde du harpon qui leur laissait croire qu'ils étaient encore les plus forts. Ils se promettent de revenir... Dérivant au gré du vent, ils sont recueillis en pleine obscurité par un yacht de croisière.

La baleine délivrée s'en est retournée dans les abysses chanter la folie des hommes.

***

Juin 1992. La Méditerrannée est paisible au large de Collioure. Du fond de la baie protégée par les remparts, le petit Alexis scrute la surface de l'eau. De tout son cœur il appelle son amie.

Une nageoire dorsale fend les vaguelettes et Dolphy rejoint le petit homme qui l'attend. Elle le connaît bien. Leurs jeux sont emplis de secrets. Déjà hors du temps et sourd aux recommandations habituelles de sa mère, l'enfant s'élance. De spirales en pirouettes, les deux complices ont tôt fait de traverser la baie et de rejoindre le phare, dernière limite avant l'océan. Dolphy veille.

Les heures passent, lentement pour la mère qui arpente la plage de long en large. Vite pour l'enfant pris dans le tourbillon de la vraie Vie. Les cris d'angoisse et de joie se mêlent de concert dans le vent qui les étouffe pour que dure le rêve. La mère lance un dernier cri d'amour à la dauphine, lui demande de lui ramener son enfant.

Dolphy cale délicatement sa nageoire dorsale sous un des bras d'Alexis pour l'aider sur le chemin du retour. Arrivée à la plage, elle dépose son compagnon de jeu aux pieds de sa maman.

***

16 octobre 1993. Jean-François Colombier quitte le port du Conquet à bord de son zodiac "Sillinger" long de 4 m 30. Il est accompagné de Julien, son fils de seize ans, et de Patrick, un ami. Tous trois choisissent de mettre le cap vers l'ouest et d'aller pêcher des coquillages sur les bancs de sable situés au

sud de l'île de Lystiry aux hauts fonds rocheux. Il est neuf heures du matin et le soleil est au rendez-vous. La marée est basse et l'île Benigent laisse entrevoir sa crête. Jean-François a oublié de prêter attention aux prévisions météorologiques qui annonçaient le matin même la levée d'un vent du nord-est en début d'après-midi.

Pendant deux heures les hommes pêchent crabes et coquillages sans lever la tête. Trop préoccupés, aucun ne remarque que le vent a forci et que la mer a viré au vert, ce qui laisse présager du mauvais temps pour les heures à venir. A midi ils réalisent leur insouciance alors qu'ils décident de rentrer. La récolte a été bonne mais la mer est démontée et blanche d'écume. Le nœud marée-vent fait opposition à leur retour. Des vagues de quatre mètres de haut les placent face à un phénomène de barre que le zodiac ne pourra surmonter sans dommages ni risques pour les hommes. La marée monte très rapidement et ils doivent se décider au plus vite.

Ils choisissent de tenter de rentrer par le sud pour échapper aux rochers. Perdu en plein milieu de la tempête, le zodiac est aspiré jusqu'au sommet de chaque lame qui lui fait face. Il retombe ensuite brusquement dans le creux de la vague. Le système auto-videur ne suffit plus à évacuer les énormes paquets d'eau que le zodiac embarque sans discontinuer. Le moteur s'emballe. Jean-François décide de faire une pause pour l'économiser et tenter de faire le point. A tout moment ils risquent de chavirer.

Son attention est soudain attirée par un groupe de dix grands dauphins de l'Atlantique (*tursiops truncatus*) surgis de nulle part. Ils viennent d'émerger par le travers arrière. Ils ne semblent nullement inquiétés par la tempête qui fait rage. Ils donnent même l'impression à Jean-François de vouloir jouer ! Or il n'en est rien. Les dauphins nagent en cercles de plus en plus serrés autour du zodiac. Soudain, quatre d'entre eux se détachent du groupe. Par de puissants coups de caudale, ils coupent la route aux hommes. Deux des dauphins se placent ensuite à l'avant du zodiac. Les deux autres se collent respectivement de chaque côté, l'empêchant ainsi de chavirer ! Les trois hommes sont médusés et ne disent mot ! A chaque fois qu'ils retombent dans le creux de la vague, Jean-François craint que les dauphins ne soient blessés.

Mais non ! Ses protecteurs sont fidèles au poste et font preuve d'une aisance ainsi que d'une détermination qui lui coupent le souffle.

Il décide de mettre le cap au nord-est pour remonter vers le Conquet par le chenal du Four, au risque de se heurter aux rochers. Sentant le danger, les dauphins l'entendent autrement et ne lui laissent pas le choix de la direction ! Ils exercent une forte pression sur le côté gauche du zodiac pour le contraindre à s'orienter vers le sud où le port le plus proche est à vingt kilomètres...

Pendant une demi-heure les cétacés escortent les trois hommes jusqu'à la pointe de Saint-Mathieu où le vent retombe brusquement. Les quatre dauphins se détachent et disparaissent aussi mystérieusement qu'ils étaient apparus.

En milieu d'après-midi le zodiac rejoint le Conquet après avoir longé la falaise. Les hommes sont épuisés. Jean-François sait qu'ils doivent aux dauphins d'avoir la vie sauve. Mais qui voudra le croire !... "J'ai l'habitude de côtoyer des dauphins quand je pêche, me confiera-t'il, mais là je me suis vraiment senti impuissant et ridicule ! J'ai fini par en parler parce que j'ai pensé que mon histoire amènerait un peu de gaieté dans ce monde où on ne parle que de massacres et de guerres."

Sa reconnaissance pour les dauphins qui l'avaient sauvé était profonde et sincère. Son désir était désormais de les retrouver dans un contexte moins périlleux afin que le jeu puisse cette fois être de la partie.

***

Août 1994. 17 h 00. Tara et Tanguy sont un peu crispés à la barre de leur voilier de sept mètres de long. Ils voguent vers l'île de Sein mais une brume épaisse contrarie leur visibilité de façon inquiétante. Ils sont fatigués d'avoir navigué toute la journée et brûlent d'impatience de voir briller le phare, signe de la proximité du petit port qui abritera leur sommeil. Ils savent que les rochers abondent dans ce coin mais ils ne parviennent pas à les voir. Moment de panique pendant lequel ils craignent d'aller s'y fracasser tant ils doutent de leur route. Tara n'a jamais vu de dauphins. Ceux qu'elle voit malgré la brume surgir de chaque côté du bateau lui font pousser des cris de joie... et peut-être aussi de soulagement. Ils ne sont plus seuls !

Une dizaine de dauphins glissent le long du bateau jusqu'à l'étrave. Peu leur importe la brume! Ils passent et repassent de l'avant à l'arrière. "Je me suis sentie guidée, protégée" me confiera Tara. "Ils fonçaient dans une direction bien précise, nous obligeant à les suivre en collant au bateau. Ce qu'on avait pris pour un jeu au départ n'en était pas un ! Ils nageaient en faisant beaucoup de zigzags et faisaient parfois des bonds de trois mètres sur les côtés du bateau comme pour nous surveiller ! Ils nous ont accompagnés jusqu'à l'entrée du petit port et sont repartis."

Lorsque Tara et Tanguy reprennent la mer le lendemain matin, les dauphins sont au rendez-vous à la sortie du port. La brume de la veille a cédé la place à un ciel d'azur. Pendant une heure et demie ils vont accompagner le bateau, mais avec un comportement beaucoup plus gai. "On était heureux de les retrouver et de pouvoir leur dire merci de nous avoir sauvés !" dit Tanguy. " C'est à croire qu'ils nous attendaient ! Cette fois on a vraiment senti qu'ils voulaient jouer. Ils sifflaient sans relâche, nageaient dans l'étrave en se tournant de côté pour nous regarder ! De part et d'autre du bateau ils bondissaient à trois mètres de haut en faisant des sauts périlleux ! Ils éclataient de joie. C'était la fête, la grande éclate autant pour nous que pour eux ! On était trop fascinés pour penser à se jeter à l'eau. D'ailleurs ça aurait peut-être tout gâché. Comme ça, ils gardent leur mystère..."

***

En 1991 au Bengladesh, le Ministère de l'Environnement fait état d'un bébé sauvé de la noyade par un dauphin. Celui-ci l'a maintenu hors de l'eau en le tenant dans son rostre pendant trente kilomètres jusqu'à Chokoria où l'enfant a été retrouvé, puis hospitalisé.

***

Ces histoires d'hommes et de dauphins n'ont rien d'étrange ni d'exceptionnel. Elles témoignent d'une grande leçon pour l'humanité et invitent à retrouver une lucidité que nos rêves ont effacée. Le monde des dauphins n'est que générosité, spontanéité et joie de vivre. Le passé et le futur n'y ont pas de place. Seule compte la jouissance de l'instant présent. Un monde ouvert où règnent la confiance et la non-violence.

Les dauphins sont les princes de la mer. Ils sont la Force de Vie. Ils nous apprennent la Dignité, la Patience, la Simplicité, l'Humilité, la Tolérance, la Fraternité, la Compassion, l'Amour Inconditionnel, l'Harmonie avec la Nature, le Respect du Temps qui passe.

Qu'avons-nous à leur apprendre ?...

CHAPITRE 10

L'essentiel

"Pouiii… !"

Son souffle retentit derrière mon dos, brisant le silence de ses vibrations particulières que je retrouve avec délice. Je décroche mon regard de l'étrave du bateau où je m'attendais à la voir bondir. Elle a disparu ! Un sentiment de déjà vécu ressurgit dans ma mémoire. Je me complais dans le calme qui plane cette fois dans mon attente et qui me signifie que j'ai grandi. Mon cœur assagi se délecte de l'explosion de joie à venir et que mon intuition pressent. Dolphy a été sérieusement blessée pendant l'hiver. L'aspect peu naturel de la profonde plaie, située derrière son évent, rappelle que le danger est omniprésent autour des dauphins solitaires, tant ils dérangent autant qu'ils fascinent. Aujourd'hui, elle coule des jours plus heureux en pleine mer, au sein d'un groupe de dauphins sauvages dans lequel elle a réussi à s'intégrer.

Hier, Dolphy était venue nous dire bonjour. Dix cœurs en ébullition réunis pour l'occasion dans l'eau glacée avaient formé une bulle autour de la dauphine dans un élan spontané de complicité. Nous y avions libéré l'amour qu'elle puisait en assouvissant sa curiosité et qu'elle redistribuait aussitôt d'un frôlement calculé baigné de générosité.

Mais aujourd'hui l'ambiance est toute différente, tendue. Un plongeur profite d'un instant de repos que s'accorde Dolphy près d'une bouée pour tenter de s'agripper à sa nageoire dorsale et s'offrir une ballade façon "Grand Bleu". Il transgresse la loi qui veut que dans leur territoire ce sont les dauphins qui choisissent les hommes et non l'inverse. Dolphy s'éloigne… L'homme en colère s'en va bouder sur les galets.

Immobile dans l'eau, un enfant à mes côtés, j'attends. Dolphy me rejoint et pose son rostre dans la paume de ma main. Je la sens triste et fatiguée. Je passe de longs moments à lui parler et à la caresser. Sous mes doigts je ne sens pas l'énergie de la première fois. Cette fois les rôles sont inversés. Aujourd'hui c'est moi qui, à mon tour, lui souffle une bulle d'amour.

Les touristes se bousculent sur le ponton, piétinent mes affaires pour s'arracher la meilleure place. Voyeurs avides de me voler un instant de complicité que les Grandes Lois leur refusent de vivre tant ils sont hors de la Vie.

Je choisis de tourner mon regard vers la liberté et de rejoindre Dolphy dans l'Essentiel…

***

…Ne plus rêver de changer la Vie, mais s'ouvrir pour rêver la Vie… rire et lui dire merci… s'en abreuver jusqu'à plus soif… en demander encore et toujours plus… retrouver l'innocence pour ne plus craindre l'inconnu… naître une seconde fois…

L'Essentiel ne se voit pas. Il n'a pas de limite. Il nous apprend que jugement, culpabilité, échec, réussite sont des mots qui n'ont aucun sens et qui ne peuvent pas remettre en cause notre valeur propre. Seul compte notre chemin, ce que nous décidons d'en faire. L'Essentiel est hors du temps et omniprésent. Il est autour de nous et en nous. Il bouleverse nos cœurs et défie notre raison. Il est liberté, amour, connaissance. Il est ce souffle de vie qui anime tous les plans et que notre ego a voilé par cupidité et plus souvent par ignorance. Il se ressent et se savoure.

L'Essentiel consiste à voir derrière chaque chose et à laisser s'exprimer l'enfant qui est en chacun de nous.

Depuis la nuit des temps nous tentons de retrouver l'Essentiel que les animaux n'ont jamais perdu parce qu'ils savent jouir du temps présent. Les sociétés civilisées dévalorisent l'instant et fondent tout sur l'avenir. Le matérialisme coupe l'homme de la Vie et de lui-même. Il morcelle tout et le contraint à se désinvestir du travail qui est le sien dans l'univers. Le doute donne libre cours à la passivité ou à la violence. La crainte de la désapprobation et du regard de l'autre freine l'individu dans son désir de se réaliser à sa façon. Ces obstacles ne sont pourtant qu'illusion et loin d'être insurmontables. Tout est une question de volonté, de patience et de persévérance, non de pouvoir.

Vivre c'est créer. Créer c'est vivre. S'accorder le droit de revendiquer son individualité, au risque de se marginaliser, c'est apprendre à respecter sa vie et toutes les autres formes de Vie. C'est donner, recevoir, redistribuer dans la simplicité. C'est se purifier, se réintégrer dans le Tout en communiant avec la Nature.

Notre société éloigne l'homme du sens de la vie qui est l'amour inconditionnel. Elle anesthésie ses sens et le contraint à intérioriser l'expression de son véritable être quand l'ouverture de sa conscience devrait s'exprimer vers l'extérieur. Comme dit La Bruyère, l'être humain “ne se sent pas naître, il souffre à mourir et il oublie de vivre”. L'animal ne pense pas à la mort. L'homme ne pense qu'à ça. Sa pulsion de mort l'emporte sur celle de vie. Il a peur de vivre tellement il a peur de mourir. Il sacrifie l'animal pour se donner l'illusion de maîtriser la mort. L'homme tente d'oublier sa souffrance en la déchargeant sur l'animal et en l'obligeant à la vivre à sa place. Le matérialisme a entretenu à tort l'idée que ce dernier n'était qu'un être biologique. Quel sens aurait alors la Vie ?

La dimension spirituelle de l'animal et de l'homme est la même, mais le poids de nos tabous nous aveugle et notre ego fuit cette vérité. Nous pensons trop à dominer notre mort pour qu'il nous reste du temps pour donner de la Vie à notre vie. L'animal se laisse porter par le cours naturel des choses. Il sait lâcher prise sur ses émotions et s'adapter aux circonstances imprévues qui peuvent survenir. Nous cherchons tellement la sécurité que nous sommes incapables de bouger et de vivre. Nous cherchons à posséder quand tout nous est offert. Or, vivre et aimer ce n'est pas accumuler, mais redistribuer. La vie se ressent de l'intérieur.

Elle ne s'achète pas, ne nous appartient pas. Elle EST. Les animaux savent qu'ils sont. En cela réside leur liberté, ce "pouvoir" que l'homme a abandonné à son âme pour céder aux turpitudes de son ego .

Rien n'est jamais définitif. Tout bouge et se transforme à chaque instant. Nous ne sommes plus l'être que nous étions hier et ne sommes pas encore celui que nous serons demain. Les désirs sont une chose, la réalité en est une autre. Et personne ne sait ce qui lui est dû.

L'Essentiel c'est de savoir relativiser, de n'accorder de valeur qu'à ce qui en a vraiment. Savoir apprécier ce cadeau qu'est la Vie et reconnaître qu'elle ne peut être que ce que nous voulons bien en faire... Grandir en se montrant responsable de ses pensées et de ses actes. Accepter ce qui est sans se soucier du lendemain.

Toutes les réponses sont en nous, enfouies depuis toujours dans notre cœur, grand adversaire de notre raison. Seules la confiance dans la Vie et la foi dans l'instant peuvent nous permettent de les entendre.

Nous nous devons dès à présent d'appréhender la Nature autrement, de l'entendre, de l'écouter et de la comprendre avec notre cœur.

Réinstaurer le dialogue à SES conditions et non plus aux nôtres. Les dauphins ne résoudront jamais les problèmes des hommes et ce n'est d'ailleurs pas leur rôle. La Vie est un immense puzzle.

L'humanité n'en détient qu'un morceau et ne peut pas s'accomplir seule. Elle est inséparable de la Nature. La souffrance animale est une leçon pour l'humanité. Elle enseigne le don de soi total pour l'éveil de l'autre. Elle apprend l'amour pur et inconditionnel qui rend libre. Aimer sans vouloir posséder, sans vouloir que l'autre vous ressemble pour se rassurer qu'on ne s'est pas soi-même trompé de chemin. L'attitude de paix de l'animal dans la souffrance est un véritable don, un sacrifice pour l'éveil des hommes à l'harmonie, à la fraternité, au respect des différences, à cette règle de vie des Shoshones que l'homme blanc refuse d'entendre : "One Air, one Water, one Earth".

Aujourd'hui je veux encore croire en l'humanité, en ce jour où elle saura en toute humilité prendre exemple sur le peuple des dauphins avant que celui-ci ne fasse entendre son dernier cri, comme un au-revoir...

***

Les murs sont humides et le toit efface le peu de lumière que les nuages daignent laisser filtrer. La pluie rajoute une note de tristesse au froid qu'il fait cet après-midi-là.

Dans leur prison chlorée de quinze mètres carrés, les dauphines tournent en rond. Les gradins sont déserts, les dresseurs absents. Dans le minuscule bassin-hôpital, Alpha fait le bouchon et couvre le silence d'appels incessants. Personne ne lui répond.

Debout sur les gradins en bois pourris, je ne peux résister à son appel. Son corps se dresse face à moi de toute sa hauteur. Son regard sonde le mien. Je franchis la barrière. Debout sur la plate-forme réservée aux dresseurs, mon cœur s'emballe. Je sais qu'à tout instant la violence peut faire irruption et me faire cher payer mon insolence. Mais je sens en moi que ce moment d'échange m'est donné et qu'il se doit d'exister.

Je m'assois sur le rebord du bassin. Alpha pose délicatement son rostre dans la paume de ma main. Mes doigts glissent sur sa peau trop lisse, rougie par le chlore. Elle m'offre sa confiance et dans ses yeux brille une étincelle de vie.

Angel nous rejoint et m'apporte une algue pour jouer. Dans ce geste explose la détresse de sa solitude. Fritzy arrive à son tour et attrape ma main avec ses petites dents pointues. Alpha m'éclabousse aussitôt avec son rostre pour que je ne l'oublie pas. Elle se faufile entre ses aînées et s'accapare toute mon attention. A tout moment je risque de basculer dans l'eau...

Mais je veux leur donner cette joie dont elles n'ont plus le souvenir et pour cela je masque la peine que j'éprouve face à leur détresse. Leur exprimer ma souffrance ne ferait qu'ajouter à la leur. Je suis là pour elles, et pourtant elles sont aussi là pour moi. Je reste seule avec Alpha.

Le temps m'est compté et je ne veux pas lui faire prendre le risque de subir en retour la colère des dresseurs s'ils venaient à me découvrir. Je choisis de partir. Mais elle est là, dressée devant moi. Son regard m'appelle. Je lui dis que je l'aime. Elle me suit pas à pas le long de sa prison en béton, se redresse et m'appelle encore. Au ciel je crie ma colère.

POURQUOI ? Pourquoi permets-tu cela ?

Mes jambes m'ont portée de l'autre côté du filet orange délavé. Alpha siffle de plus belle sous mes caresses. Dans ses yeux je vois de l'eau. Celle de la mer baignée de lumière qu'elle ne retrouvera peut-être pas.

CONCLUSION

Les dauphins sont des êtres à part. Ils extériorisent davantage leur spiritualité que les autres animaux. Cet état de fait fascine ou dérange, mais ne laisse pas indifférent.

Sur notre Mère la Terre, qui aujourd'hui se nettoie de l'homme, les dauphins ont apporté des énergies nouvelles et des vibrations d'amour. Par ignorance et orgueil mal placé, l'humanité les a niées au lieu de faire l'effort d'en apprivoiser le pouvoir.

Quand l'homme "moderne" se réveillera, il pleurera. Car les dauphins ne seront plus là.

Les dauphins sont la Force de Vie, l'Essence. Ils ont la spontanéité des animaux qu'ils incarnent et la sagesse de leurs âmes. Le bon sens et la vigilance auraient dû nous préserver de l'illusion qu'ils avaient été créés pour nous faire rêver et rire.

Nous avons pensé et parlé à leur place. Nous les avons humiliés, ridiculisés, exploités, trahis. Sans broncher, sans violence, ils se sont laissés sacrifier, pour notre éveil à tous.

L'humanité devenue fragile ravale ses larmes dans la violence et l'indifférence. Son corps malade crie au manque de tendresse, de caresses, de sensualité, de communication, d'échange. Son monde a viré au noir et blanc. Les couleurs, c'est peut-être l'avenir qui les lui rendra.

Par leur comportement les dauphins ont tenté de nous apprendre à lâcher prise, à vivre chaque instant présent avec le regard d'un enfant, à appréhender avec confiance la simplicité de la Vie, à nous éveiller à notre réalité, à nous respecter nous-mêmes. Leur être entier est harmonie et appelle à l'amour.

Saurons-nous enfin les écouter, avant qu'il ne soit trop tard ?

Achevé d'imprimer en février 1996
sur presse CAMERON
dans les ateliers de Bussière Camedan Imprimeries
à Saint-Amand-Montrond (Cher)

Dépôt légal : février 1996.
N° d'impression : 1/169.

Imprimé en France